#홈스쿨링
#혼자공부하기

똑똑한
하루 사회

Chunjae
Makes
Chunjae

▼

똑똑한 하루 사회

기획총괄	박상남
편집개발	조미연, 윤순란, 김민경, 박진영
디자인총괄	김희정
표지디자인	윤순미, 박민정
내지디자인	박희춘, 한유정, 우혜림
제작	황성진, 조규영

발행일	2023년 1월 15일 2판 2023년 1월 15일 1쇄
발행인	(주)천재교육
주소	서울시 금천구 가산로9길 54
신고번호	제2001-000018호
고객센터	1577-0902

똑 똑 한

하루
사회

6·1

똑똑한 하루 사회

어떤 책인지 알면 공부가 더 재미있어.

똑똑한 하루 사회 구성과 특징

핵심 용어

- 핵심 용어만 쏙!
- 한자와 예문으로 이해 쏙쏙!
- 그림으로 기억력 UP!

1일~4일 학습

개념 동영상

빠른 정답 보기

- '❶ 개념 만화 → ❷ 개념 익히기 → ❸ 개념 확인하기' 3단계로 하루 학습
- 하루 6쪽, 4주면 한 학기 공부 끝!

5일 마무리 학습

① 핵심 개념

② 문제

· '① 핵심 개념 → ② 문제' 2단계로 하루 학습

특강

누구나 100점 TEST

생활 속 사회 / 사고 쑥쑥 / 논리 탄탄

· 한 주에 배운 내용을 확인하는 누구나 100점 맞는 TEST
· 재미있고 새로운 유형의 특강으로 창의력, 사고력, 논리력 UP!

재미있게 똑똑해지네?

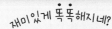

하루하루

조금씩 기초부터 쌓다 보면
어느새 자신감이 생겨.

똑똑한 하루 사회 차례

우리나라 경제 체제의 특징

우리나라의 경제 성장

똑똑한 하루 사회를 함께할 친구들

지우

차분하고 독서를
좋아하는 모범생

나연

활발하고 장난기
많은 말괄량이

타임 폴리스

역사 도둑을 잡으러
다니는 미래의 경찰

역사 도둑

시간 여행을 하며 역사를
엉망으로 만드는 도둑

이번 주에는 무엇을 공부할까? ❶

드디어 박물관에 도착!

우리나라 민주주의의 역사를 이해할 수 있을 거야.

역사 박물관

민주주의를 지키려고 희생하신 분들을 생각하며 관람하렴.

네.

4·19 혁명

5·18 민주화 운동

6월 민주 항쟁

3·15 부정 선거로 4·19 혁명이 일어났네.

6월 민주 항쟁으로 대통령 직선제를 이루었어.

시민들의 정치 참여가 매우 중요하다는 걸 알겠지?

사회 문제에 관심을 가지고 서명 운동, 캠페인 등에도 참여해야겠어요.

역시 지우는 대견해!

내 친구다워!

▲ 대통령 자리에서 물러나는 이승만

누구나 한 표씩만 투표할 수 있어.

▲ 평등 선거

4·19 혁명

6월 민주 항쟁 ── 민주화 노력 ── 민주주의 ── 선거 원칙

5·18 민주화 운동

평등 선거

보통 선거

비밀 선거 직접 선거

전두환은 계엄군을 보내 폭력적으로 5·18 민주화 운동을 진압했어.

기표소

▲ 시민들을 향해 총을 쏘는 계엄군

▲ 비밀 선거

우리나라 민주주의의 발전 과정을 보면서 시민들의 정치 참여 활동의 중요성을 알아보자.

4·19 혁명

뜻 이승만 정부의 독재와 3·15 부정 선거에 항의하며 벌인 민주화 혁명

예 4·19 혁명으로 이승만은 대통령 자리에서 물러났고, 3·15 부정 선거는 무효가 되었다.

> 1960년까지 이승만은 세 번이나 대통령에 당선되었어.

5·16 군사 정변

뜻 1961년 5월 16일, 박정희를 중심으로 한 군인들이 힘을 앞세워 정권을 잡은 사건

예 5·16 군사 정변으로 정권을 잡은 박정희는 유신 헌법을 선포하고 독재 정치를 했다.

5·18 민주화 운동

뜻 전라남도 광주에서 전두환의 퇴진 등을 요구하며 벌인 민주화 운동

예 5·18 민주화 운동은 부당한 정권에 맞서 민주주의를 지키려는 시민들의 의지를 보여 주었다.

6월 민주 항쟁

뜻 1987년 6월, 대통령 직선제 등을 요구하며 일어난 민주화 운동

예 6월 민주 항쟁은 6·29 민주화 선언을 이끌어 내 대통령 직선제를 이뤘다.

우리나라의 민주주의 발전과 관련된 4 · 19 혁명, 6월 민주 항쟁, 직선제 등의 용어는 꼭 기억해!

민주주의

국민의,
국민에 의한,
국민을 위한 정치!

뜻 국민이 국가의 주인으로서 국가 권력을 스스로 행사하는 정치 제도

예 국민이 자신들을 대표할 사람을 직접 뽑는 선거는 **민주주의**의 기본이다.

옛날에는 신분이 높은 사람들만 정치에 참여할 수 있었어.

지방 자치제

지방 자치제
의회
지방 의회   지방 자치 단체

뜻 지역 주민이 선출한 지방 의회 의원과 지방 자치 단체장이 지역의 일을 처리하는 제도

예 **지방 자치제**의 실시로 주민들은 지역의 문제 해결에 의견을 제시할 수 있다.

직선제

대통령을 국민이 직접 뽑는 게 중요해.

直 選 制
곧을 직 가릴 선 지을 제

투표함

뜻 국민이 직접 선거를 통하여 대표를 선출하는 제도

예 전두환은 **직선제** 내용이 포함되도록 헌법을 바꿔야 한다는 국민의 요구를 무시했다.

오늘은 대통령 선거일이네.

직선제는 국민의 권리지! 어서 투표하러 가자.

만 18세 이상만 투표할 수 있다고!

1일 4·19 혁명

? 4·19 혁명은 왜 일어났을까?

용어 체크

◉ 혁명

국가의 기초나 제도 등이 완전히 새롭게 바뀌는 것

예 4·19 [①] 과정에서 많은 시민과 학생들이 희생되었다.

◉ 독재 정치

민주적인 절차를 따르지 않고 통치자 마음대로 행하는 정치

예 이승만은 [②] 를 이어 나갔다.

정답 ① 혁명 ② 독재 정치

 만화로 재미있게 **개념** 쏙쏙! **용어** 쏙쏙!

잘못된 정권은 국민이 바로잡을 수 있어!

🐹 용어 체크

📍 **시위**

많은 사람이 집회나 행진을 하며 의사를 나타내는 일

예 시민들은 이승만 정부에 반대하는 [   ]를 시작했다.

이승만 정부에 시위하는 학생들 ▶

정답 ❶ 시위

개념 익히기

1 4·19 혁명이 일어난 까닭은 무엇일까?

이승만 정부의 독재 정치와 부정부패

우리나라의 첫 번째 대통령이었던 이승만은 헌법을 바꿔 가며 계속 대통령이 되어 독재 정치를 이어 나갔음.

3·15 부정 선거

이승만 정부는 1960년 3월 15일에 실시된 정부통령 선거에서 **부정 선거**를 실행했음.

여러 가지 방법으로 실행된 3·15 부정 선거

투표하지 않은 사람을 대신해서 다른 사람이 투표하기도 했어.

▲ 유권자들에게 돈 등을 주면서 이승만 정부에 투표하도록 했음.

▲ 투표한 용지를 불에 태워 없애거나 조작된 투표용지를 넣어 투표함을 바꾸기도 했음.

부정 선거 결과 이승만은 선거에서 이겼어. 하지만 시민들은 항의하는 시위를 시작했지.

☑ 이승만 정부의 ⁰(독재 / 민주) 정치와 3·15 부정 선거로 4·19 혁명이 일어났습니다.

4 · 19 혁명

▶ 개념 동영상

2 4 · 19 혁명의 과정과 결과를 살펴볼까?

시위에 참여했던 고등학생 김주열이 마산 앞바다에서 죽은 채 발견되자 시위가 더욱 확산되었어.

마산에서 3·15 부정 선거를 비판하는 시위가 일어났음.

4월 19일에는 전국에서 많은 시민과 학생들이 시위에 참여했음.

재선거가 실시되고 새로운 정부가 생겼어.

이승만은 대통령에서 물러났고, 3·15 부정 선거는 **무효**가 되었음.

대학교수들이 학생들을 지지하며 정부에 항의했음.

3 · 15 부정 선거에 대항해 일어난 전국적인 시위로 이승만은 ❷(대통령 / 국무총리)에서 물러났습니다.

정답 ❶ 독재 ❷ 대통령

개념 체크

→ 정답과 풀이 1쪽

1 이승만은 헌법을 바꿔 가며 ☐☐ 정치를 이어 나갔습니다.

2 이승만 정부는 3·15 ☐☐ 선거를 실행했습니다.

3 4 · 19 혁명 결과 ☐☐☐이 대통령 자리에서 물러났습니다.

| 보기 |
| • 독재   • 민주 |
| • 공정   • 부정 |
| • 이승만 • 이기붕 |

개념 확인하기

● 정답과 풀이 1쪽

빠른 정답 보기

1 오른쪽 인물에 대한 설명으로 알맞은 것을 두 가지 고르시오. (　,　)

① 유신 헌법을 만들었다.

② 5·16 군사 정변을 일으켰다.

③ 우리나라의 첫 번째 대통령이다.

④ 헌법을 바꿔 가며 계속 대통령이 되었다.

⑤ 5·18 민주화 운동을 폭력적으로 진압했다.

▲ 이승만

2 4·19 혁명에 대한 설명으로 알맞은 것을 두 가지 고르시오. (　,　)

① 6·29 민주화 선언을 이끌어 냈다.

② 1980년 5월에 일어난 민주화 운동이다.

③ 이승만의 독재 정치에 저항해 일어났다.

④ 시위 결과 3·15 부정 선거는 무효가 되었다.

⑤ 전두환의 민주주의 탄압에 대항해 일어났다.

└▸ 권력 따위로 억지로 눌러
　꼼짝 못하게 하는 것

3 4·19 혁명에 참여한 사람들의 주장을 바르게 말한 어린이를 쓰시오.

주민 소환제를 실시하자.

대통령으로 이승만을 뽑자.

3·15 선거는 불법 선거이다.

▲ 민혁　　　　▲ 수정　　　　▲ 진호

(　　　　　　)

4 다음 보기 를 4·19 혁명이 전개된 순서에 맞게 기호를 쓰시오.

> 보기
> ㉠ 이승만이 대통령 자리에서 물러났습니다.
> ㉡ 마산에서 부정 선거에 항의하는 시위가 일어났습니다.
> ㉢ 1960년 4월 19일 전국에서 많은 시민과 학생들이 시위에 참여했습니다.

(   ) → (   ) → (   )

집중 연습 문제 3·15 부정 선거

[5~6] 다음은 3·15 부정 선거와 관련된 내용입니다.

> 이승만 정부는 1960년 3월 15일에 예정된 정부통령 선거에서 이기려고 부정 선거를 계획했습니다. 이에 맞서 대구에서 최초의 학생 민주 운동이 일어났습니다. 그러나 이승만 정부는 부정 선거를 실행했고, 그 결과 선거에서 이겼습니다.

5 위 밑줄 친 부정 선거의 방법을 알맞게 말한 어린이를 모두 쓰시오.

> 민정 : 한 사람이 한 표씩만 행사할 수 있게 했어.
> 해림 : 조작된 투표용지를 넣어 투표함을 바꾸기도 했어.
> 지후 : 유권자에게 돈을 주면서 이승만 정부에 투표하도록 했어.

(,   )

선거에서 유권자들에게 돈을 주는 것은 옳지 않아.

6 위 선거가 원인이 되어 일어난 사건은 무엇입니까? (   )

① 6·25 전쟁   ② 8·15 광복
③ 4·19 혁명   ④ 12·12 사태
⑤ 5·16 군사 정변

3·15 부정 선거가 원인이 되어 일어난 사건은 무엇인지 생각해 봐.

2일 5·18 민주화 운동

정답 ❶ 군사 정변 ❷ 유신 헌법

군인들이 정권을 잡았다고?

용어 체크

📍 군사 정변

군인들이 힘을 앞세워 정권을 잡는 행위

예 박정희는 [❶   ]을 일으켜 정권을 잡았다.

📍 유신 헌법

1972년 유신 체제 하에서 선포된 헌법

예 박정희는 [❷   ]으로 대통령 직선제를 간선제로 바꿨다.

정답 ❶ 군사 정변 ❷ 유신 헌법

1
주

왜 다른 지역 사람들은 광주에서 일어난 일을 몰랐을까?

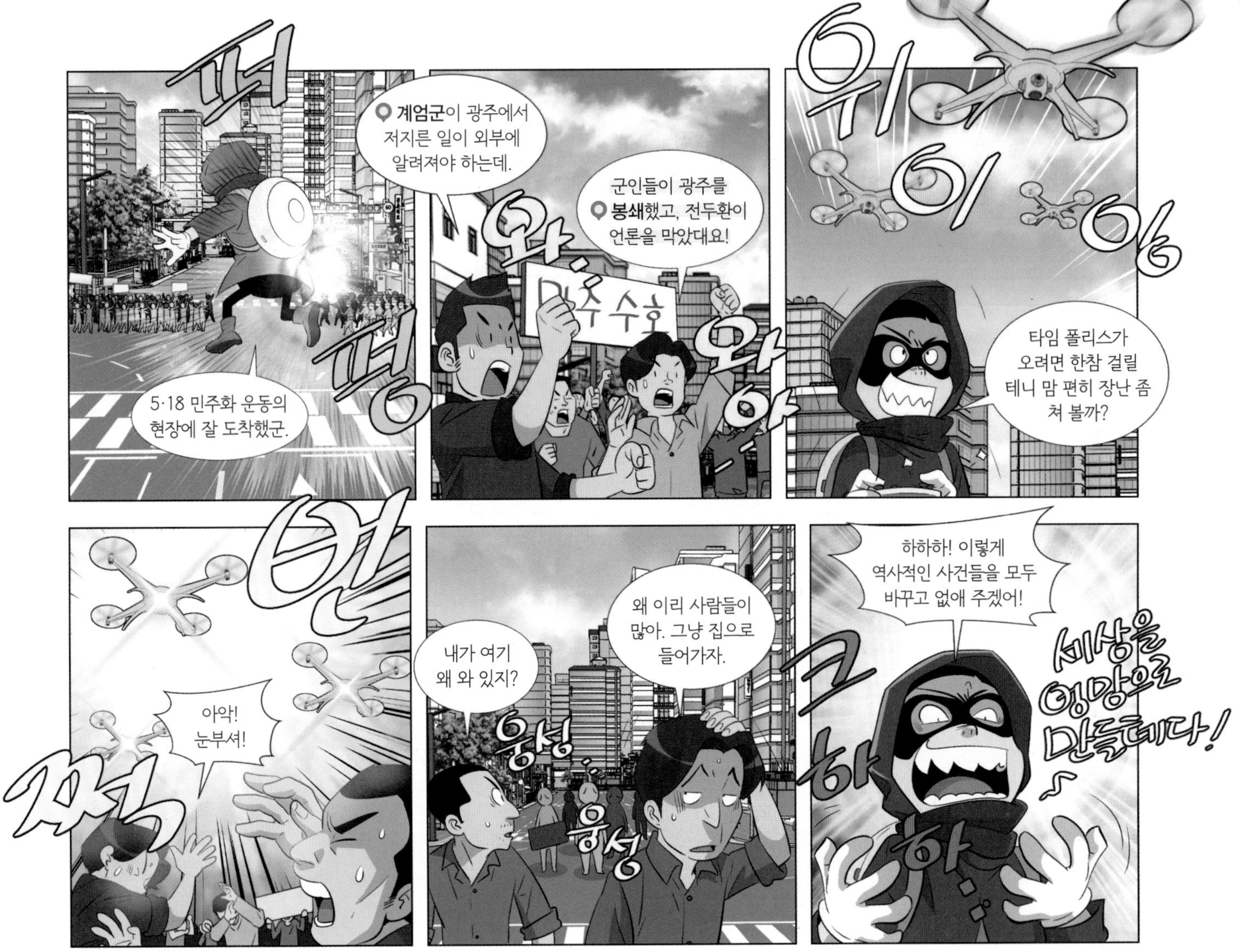

계엄군이 광주에서 저지른 일이 외부에 알려져야 하는데.

5·18 민주화 운동의 현장에 잘 도착했군.

군인들이 광주를 봉쇄했고, 전두환이 언론을 막았대요!

민주 수호

타임 폴리스가 오려면 한참 걸릴 테니 맘 편히 장난 좀 쳐 볼까?

아악! 눈부셔!

내가 여기 왜 와 있지?

왜 이리 사람들이 많아. 그냥 집으로 들어가자.

하하하! 이렇게 역사적인 사건들을 모두 바꾸고 없애 주겠어!

세상을 엉망으로 만들테다!

용어 체크

계엄군 ─ 나라 안에서 정권을 차지할 목적으로 벌어지는 큰 싸움

전쟁이나 내란 등 국가의 비상사태가 일어났을 때, 전국 또는 일부 지역을 살피는 임무를 맡은 군대

예 전두환은 시위를 진압할 ❶ [   ]을 광주에 보냈다.

봉쇄

굳게 막아 버리거나 잠금.

예 경찰은 그 집회를 ❷ [   ]하기로 결정했다.

1 5·18 민주화 운동 이전의 민주주의 탄압 과정을 살펴볼까?

5·16 군사 정변

← 박정희

4·19 혁명 이후 박정희는 군인들을 동원해 정권을 잡았음.

유신 헌법 공포

← 확정된 법을 일반 국민에게 널리 알리는 일

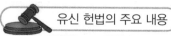

유신 헌법의 주요 내용

- 대통령을 할 수 있는 횟수를 제한하지 않는다.
- 대통령 직선제를 간선제로 바꾼다.

박정희는 1972년 유신 헌법을 공포해 독재 정치를 이어 갔음.

서거는 죽어서 세상을 떠났다는 뜻이야.

박정희 서거

← 박정희 대통령 서거

1979년에 박정희가 부하에게 살해되었음.

12·12 사태

전두환이 중심이 된 군인들이 다시 정변을 일으켰음.

서울역 민주화 시위

시민들은 헌법 개정과 새 정부 수립을 주장하면서 시위를 벌였음.

☑ 4·19 혁명 이후 박정희와 ❶(전두환 / 김대중)이 정권을 잡아 민주화 운동을 탄압했습니다.

② 5·18 민주화 운동에 대해 알아볼까?

전두환은 광주에서 일어나는 일이 신문이나 방송으로 알려지는 걸 막았어!

전라남도 **광주**에서 대규모 민주화 시위가 일어났음.

전두환은 계엄군을 보내 폭력적으로 시위를 진압했음.

계엄군은 시위를 이끌던 사람들이 모여 있던 전라남도청을 공격해 강제로 진압했음.

분노한 시민들은 시민군을 만들어 대항했음.

▲ 국립 5·18 민주 묘지 추모탑

5·18 민주화 운동은 세계 여러 나라의 민주화 운동에 영향을 주었어.

• 수많은 사람이 희생되었음.
• 우리나라 민주주의 발전에 밑거름이 되었음.

☑ 5·18 민주화 운동은 1980년에 전라남도 ❷(광주 / 부산)에서 일어났습니다.

정답 ❶ 전두환 ❷ 광주

개념 체크

◦ 정답과 풀이 1쪽

1 박정희는 유신 헌법을 공포해 대통령 ☐☐☐를 시행했습니다.

2 5·18 민주화 운동은 ☐☐☐에게 폭력적으로 진압되었습니다.

3 전두환은 광주에서 일어난 일이 ☐☐(으)로 알려지는 것을 막았습니다.

보기
• 간선제   • 직선제
• 계엄군   • 시민군
• 방송   • 일기

1 다음에서 설명하는 사건은 무엇인지 보기에서 찾아 쓰시오.

> 1961년, 새로운 정부가 들어선 지 1년도 되지 않아 박정희는 군인들을 동원해 정권을 잡았습니다.

보기
• 4·19 혁명
• 6월 민주 항쟁
• 5·16 군사 정변

(   )

2 오른쪽 ㉠에 들어갈 알맞은 내용을 두 가지 고르시오. (,   )

① 지방 자치제를 실시한다.
② 대통령을 국민이 직접 뽑는다.
③ 대통령을 세 번까지 할 수 있다.
④ 대통령 직선제를 간선제로 바꾼다.
⑤ 대통령을 할 수 있는 횟수를 제한하지 않는다.

유신 헌법의 주요 내용

㉠

3 박정희 대통령이 죽은 후 군사 정변을 일으켜 정권을 잡은 사람은 누구입니까? (   )

① 이승만   ② 전두환   ③ 김대중
④ 김영삼   ⑤ 이기붕

4 1980년 5월에 오른쪽과 같은 대규모 민주화 시위가 일어난 곳은 어디인지 쓰시오.

(   )

▲ 전라남도 도청 앞 광장에 모인 시민들

5 5·18 민주화 운동이 일어나자 전두환이 한 일을 보기 에서 찾아 기호를 쓰시오.

> 보기
>
> ㉠ 계엄군을 보내 무력으로 진압했습니다.
> ㉡ 신문이나 방송으로 보도해 전국에 알렸습니다.
> ㉢ 시민들의 요구를 받아들여 독재 정치를 멈췄습니다.

(   )

6 5·18 민주화 운동의 의의로 알맞은 것을 두 가지 고르시오. (,   )

① 우리나라 경제 발전을 이끌었다.

② 6·29 민주화 선언을 이끌어 냈다.

③ 대통령 간선제를 실시할 수 있게 되었다.

④ 우리나라 민주주의 발전에 밑거름이 되었다.

⑤ 세계 여러 나라 민주화 운동에 영향을 주었다.

똑똑한 하루 퀴즈

7 다음 힌트와 관련 있는 사람은 누구인지 글자 카드에서 찾아 쓰세요.

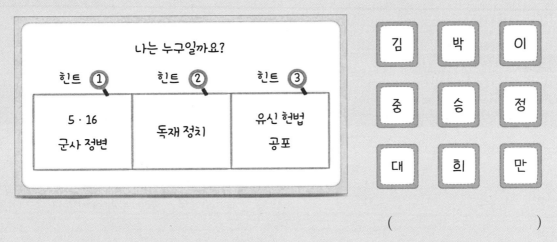

나는 누구일까요?

힌트 ①	힌트 ②	힌트 ③
5 · 16 군사 정변	독재 정치	유신 헌법 공포

김	박	이
중	승	정
대	희	만

(   )

3_일 6월 민주 항쟁과 정치 참여

 6·29 민주화 선언이 담고 있는 내용은?

용어 체크

◉ 직선제

국민이 직접 대표를 뽑는 제도

예 시민들은 대통령 [❶] 를 요구
하며 전국에서 시위를 벌였다.

◉ 지방 자치제

지방의 행정을 지방 주민이 선출한 기관을 통하여
처리하는 제도

예 1952년에 처음 시행된 [❷] 는
5·16 군사 정변 때 폐지되었다.

정답 ❶ 직선제 ❷ 지방 자치제

만화로 재미있게 **개념** 쏙쏙! **용어** 쏙쏙!

1주

🐻 사회 문제를 해결하는 방법이 다양해졌어!

🔍 용어 체크

📍 서명 운동

↗ 자기 이름을 써 넣는 것

어떤 의견에 대한 찬성의 뜻으로 서명을 받는 운동

예 환경 보전을 위해 주민들이 ❶ _____ 을 했다.

📍 캠페인

사회 문제를 알리기 위해 계속해서 하는 운동

예 나는 환경 보호 ❷ _____ 에 참가했다.

정답 ❶ 서명 운동 ❷ 캠페인

3일 개념 익히기

 ▶ 개념 동영상

1 6월 민주 항쟁에 대해 알아볼까?

> 일정 수의 선거인단을 구성해 이들에게
> 대표자를 뽑게 하는 선거 제도

간선제로 대통령이 된 전두환은 언론을 통제하고 민주주의를 요구하는 사람들을 탄압했음.

> 정부는 이 사건을 숨기려고 거짓말을 했어.

민주화 운동에 참여했던 대학생 박종철이 경찰에 끌려가 고문받다가 사망했음.

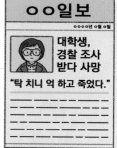
○○일보
○○○○년 ○월 ○일
대학생, 경찰 조사 받다 사망
"탁 치니 억 하고 죽었다."

시민들은 박종철 고문 사건을 숨기던 정부에 고문 금지와 책임자 처벌을 요구했음.

> 이한열 사건으로 시위의 규모가 더욱 커지게 돼.

시위가 이어졌고, 시위 도중 경찰이 쏜 최루탄에 대학생 이한열이 맞아 쓰러졌음.

정부는 직선제 내용이 포함되도록 헌법을 바꿔야 한다는 국민의 요구를 받아들이지 않았음.

시민들은 전두환 정부의 독재에 반대하고 **대통령 직선제**를 요구하며 전국 곳곳에서 시위를 벌였음.

6·29 민주화 선언의 주요 내용

- 대통령 직선제
- 지방 자치제 시행
- 언론의 자유 보장
- 지역감정 없애기

정부는 국민의 요구를 받아들이는 6·29 민주화 선언을 발표했음.

☑ 전두환의 민주주의 탄압에 맞선 6월 민주 항쟁은 ❶(대통령 / 국회 의원) 직선제를 이끌어 냈습니다.

2 오늘날 시민들이 사회 공동의 문제 해결에 참여하는 모습을 알아볼까?

▲ 누리 소통망 서비스(SNS) 활동

▲ 캠페인

평화적이고 다양한 방식으로 더 많은 시민이 정치에 참여할 수 있게 되었어.

▲ 서명 운동

▲ 투표

▲ 1인 시위

✓ 오늘날에는 다양하고 ②(평화 / 폭력)적인 방식으로 사회 공동의 문제를 해결하고 있습니다.

정답 ❶ 대통령 ❷ 평화

개념 체크

◇ 정답과 풀이 2쪽

1 전두환 정부는 ☐☐주의를 요구하는 사람들을 탄압했습니다.

2 6월 민주 항쟁에서 시민들은 대통령 ☐☐☐를 요구했습니다.

3 사회 문제에 대한 의견을 ☐☐ 소통망 서비스에 제시할 수 있습니다.

보기
• 사회   • 민주
• 간선제   • 직선제
• 누리   • 두리

1 전두환 정부 시기 사회의 모습으로 알맞은 것을 두 가지 고르시오. (,   )

① 유신 헌법을 만들었다.

② 지방 자치제를 시행했다.

③ 국민들의 알 권리가 존중되었다.

④ 민주주의를 요구하는 사람들을 탄압했다.

⑤ 신문과 방송이 정부를 비판하지 못하게 했다.

2 박종철 사망 사건을 다룬 신문 기사를 읽고 알맞지 **않은** 이야기를 한 어린이를 쓰시오.

> 지연 : 박종철 사망 소식을 들은 국민들은 정부에 화가 났을 거야.
> 형진 : 박종철 사망 사건 이후 국민들은 더 이상 민주화 운동을 하지 않았어.
> 연우 : 정부는 정권을 유지하기 위해 민주화를 요구하는 사람들을 탄압했을 거야.

(   )

3 6월 민주 항쟁에서 시민들이 요구했던 것을 두 가지 고르시오. (,   )

① 경제 발전

② 환경 문제 해결

③ 독재 정치 반대

④ 주민 소환제 시행
　　└→주민이 직접 선출한 의원이나 단체장이 직무를 잘 수행하지
　　　　못했을 때 주민이 투표로 그들을 물러나게 하는 제도

⑤ 대통령 직선제 실시

4 6월 민주 항쟁과 관련된 사건으로 알맞은 것을 보기 에서 찾아 기호를 쓰시오.

> 보기
>
> ㉠ 3·15 부정 선거
> ㉡ 유신 헌법 공포
> ㉢ 김주열 사망 사건
> ㉣ 6·29 민주화 선언

(   )

5 오른쪽은 사회 공동의 문제 해결에 참여하는 방식 중 무엇입니까? (   )

① 투표
② 캠페인
③ 서명 운동
④ 시민 단체 활동
⑤ 누리 소통망 서비스(SNS)에 의견 올리기

집중 연습 문제 6·29 민주화 선언

[6~7] 다음은 6·29 민주화 선언과 관련된 내용입니다.

▲ 대통령 직선제   ▲ 지방 자치제 시행

직선제는 직접 뽑는다는 뜻이야.

6 다음 내용이 들어갈 말풍선을 위 그림에서 찾아 기호를 쓰시오.

(1) 대통령을 국민이 직접 뽑는 것이 중요해.   (   )
(2) 우리 지역의 일은 우리가 더 잘 결정할 수 있어. (   )

시민들의 민주화 의지를 보여 준 사건이야.

7 위 그림과 같은 내용이 담긴 민주화 선언을 이끌어 낸 사건은 무엇입니까? (   )

① 4·19 혁명   ② 6월 민주 항쟁
③ 3·15 부정 선거   ④ 5·16 군사 정변
⑤ 5·18 민주화 운동

4일 민주주의

국민이 주인이 되는 민주주의

4월 19일 너희가 나와 함께 출발했던 날이야.

시간 여행을 통해 ⏣민주주의 ⏣정치의 소중함을 배웠길 바란다.

국민이 국가의 주인으로서 권리를 갖게 된 건 시민들의 노력 덕분이에요.

그래, 이만 나는 가야겠다.

역사 도둑 꼭 잡으세요!

방금 뭐였지?

번개인가?

이 보라색 빛은 과거에 엄청난 변화가 현재에도 영향을 줄 때 나타나는 현상이야.

🐻 용어 체크

⏣ 민주주의

국민이 주인이 되어 국민을 위해 정치가 이루어지는 제도

예 인간의 존엄, 자유, 평등이 [① ⬜] 의 기본 정신이다.

⏣ 정치

사회생활을 하면서 사람들 사이의 의견 차이나 갈등을 해결하는 활동

예 가족 회의도 생활 속 [② ⬜]의 사례이다.

정답 ❶ 민주주의 ❷ 정치

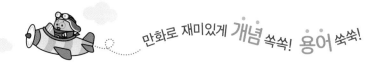

1주

 의견이 모아지지 않을 때에는 다수결의 원칙으로!

역사 도둑이 과거를 바꿀 때마다 현재도 바뀌는 거예요?

그렇다면 저희가 역사 도둑 잡는 걸 도와드리는 게 좋겠어요.

시민들을 위험에 빠트리지 않는 것이 경찰의 임무라고.

역사 도둑을 잡는 것도 중요하죠.

의견이 모아지지 않으니 ◉**다수결의 원칙**으로 정하는 게 어때요?

다수결로 정하면 쉽고 빠르게 문제를 해결할 수 있잖아요.

좋아.

저는 도와드리는 데 찬성~

저도 찬성~

그럼 다수의 의견대로 역사 도둑을 잡으러 가자.

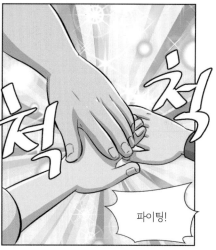

파이팅!

용어 체크

◉ **다수결의 원칙**

의사 결정을 할 때, 많은 사람의 의견을 따르는 방법

 **예** 선거로 대표를 결정하는 것도 [①   ]의 사례이다.

50%
30%
20%
〈 각 후보 득표율 〉
투표 결과 ○○○ 후보가 당선되었습니다.

선거로 대표 결정 ▶

정답 ❶ 다수결의 원칙

1 민주주의에 대해 알아볼까?

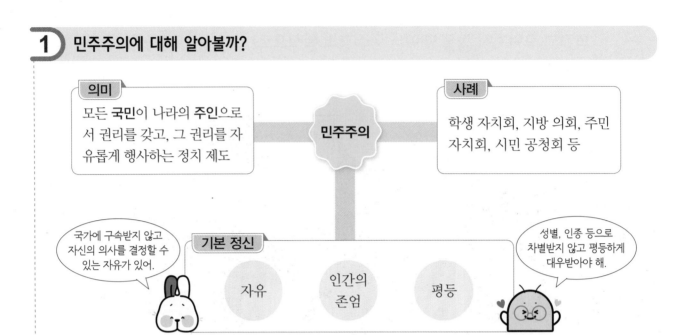

의미
모든 **국민**이 나라의 **주인**으로서 권리를 갖고, 그 권리를 자유롭게 행사하는 정치 제도

민주주의

사례
학생 자치회, 지방 의회, 주민 자치회, 시민 공청회 등

국가에 구속받지 않고 자신의 의사를 결정할 수 있는 자유가 있어.

기본 정신

자유

인간의 존엄

평등

성별, 인종 등으로 차별받지 않고 평등하게 대우받아야 해.

☑ 민주주의는 ①(왕 / 국민)이 주권을 행사하는 제도로 인간의 존엄, 자유, 평등을 바탕으로 이루어집니다.

2 민주주의 사회에서는 문제를 어떻게 해결할까?

▶ 개념 동영상

타협이란 어떤 일을 서로 양보하여 협의하는 거야.

다수결의 원칙을 사용할 때 소수의 의견도 존중해야 해.

대화와 타협

의견을 말씀해 주세요.

저는 반대합니다.

시청 공무원 / 시장 / 시 의원 / 지역 주민1 / 지역 주민2

대화와 토론을 거쳐 양보와 타협으로 문제를 해결함.

다수결의 원칙

체육 대회 종목은 축구로 결정하겠습니다.

축구 正 正 / 농구 下 / 피구 正

어떤 일을 결정할 때 많은 사람의 의견에 따라 결정함.

☑ 대화와 타협, 다수결의 원칙, 소수 의견 존중 등 민주적 의사 결정 원리로 문제를 해결합니다.

3 민주주의의 기본인 선거는 어떻게 이루어질까?

선거는 국민들이 자신을 대표할 대표를 뽑는 일이야.

보통 선거

선거일 기준 만 18세 이상의 국민이면 누구나 투표할 수 있음.

평등 선거

누구나 한 사람이 **한 표**씩만 행사할 수 있음.

비밀 선거

누구에게 투표했는지 다른 사람이 알 수 없음.

직접 선거

투표는 내가 **직접** 해야 함.

선거 관리 위원회에서 부정 선거가 일어나는지 감시해.

✔️ 보통 선거, 평등 선거, ❷(간접 / 직접) 선거, 비밀 선거의 원칙에 따라 투표를 합니다.

정답 ❶ 국민 ❷ 직접

 **개념 체크**

◦ 정답과 풀이 2쪽

1 인간의 존엄, 자유, 평등은 ☐☐주의의 기본 정신입니다.

2 다수결의 원칙을 이용할 때는 소수의 의견을 ☐☐해야 합니다.

3 누구나 한 표씩만 행사할 수 있는 선거의 원칙은 ☐☐ 선거입니다.

보기
- 민주
- 절대
- 무시
- 존중
- 보통
- 평등

1 다음에서 설명하는 정치 제도는 무엇인지 쓰시오.

> 모든 국민이 나라의 주인으로서 권리를 갖고, 그 권리를 자유롭고 평등하게 행사하는 정치 제도입니다.

(   )

2 생활 속 민주주의 사례로 알맞지 <u>않은</u> 것은 어느 것입니까? (   )

① 주민 자치회에서 지역 쓰레기 문제를 논의한다.
② 정부 기관에서 시민 공청회를 열어 의견을 듣는다.
③ 학생들이 자치회를 열어 학교 문제에 대해 논의한다.
④ 신분이 높은 몇몇 사람이 모여 나라의 중요한 일을 결정한다.
⑤ 주민이 뽑은 대표들이 지방 의회에 모여 지역의 일을 논의한다.

3 다음과 관련된 민주주의의 기본 정신은 무엇인지 보기 에서 찾아 쓰시오.

책은 누구나 똑같이 일주일에 다섯 권씩만 빌릴 수 있어요.

보기
• 자유
• 평등
• 인간의 존엄

(   )

4 다음에서 설명하는 의사 결정 방법을 쓰시오.

> 다수의 의견이 소수의 의견보다 합리적일 것이라고 가정하고 다수의 의견을 채택하는 방법입니다.

(   )

5 선거일 기준으로 만 18세 이상의 국민이면 누구나 투표할 수 있는 선거의 원칙은 무엇입니까? (   )

① 보통 선거   ② 평등 선거   ③ 직접 선거

④ 비밀 선거   ⑤ 간접 선거

6 다음 그림과 관련 있는 민주 선거의 기본 원칙은 무엇인지 쓰시오.

(   )   (   )

똑똑한 하루 퀴즈

7 뒤죽박죽 섞인 글자 카드들 속에서 □ 안에 들어갈 알맞은 말을 찾아 다음 문장을 완성하세요.

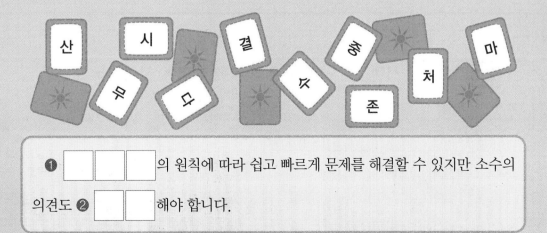

❶ □□□ 의 원칙에 따라 쉽고 빠르게 문제를 해결할 수 있지만 소수의

의견도 ❷ □□ 해야 합니다.

1 4·19 혁명

민주주의를 지킨 것은 시민들의 힘이었구나!

의미	이승만 정부의 독재와 3·15 부정 선거에 대항해 민주주의를 바로 세우고자 시민들과 학생들이 전국적으로 벌인 민주화 운동
결과	• 이승만은 대통령 자리에서 물러났음. • 3·15 부정 선거는 무효가 되었음.

▲ 3·15 부정 선거 증거 물품

2 5·18 민주화 운동

의미	전두환의 독재에 맞서 전라남도 광주에서 일어난 대규모 민주화 운동
결과	민주주의를 지키려는 시민들과 학생들의 의지를 보여 주었음.

3 6월 민주 항쟁

국민이 대통령을 직접 뽑을 수 있게 되었구나.

의미	1987년 6월, 시민들과 학생들이 전두환 정부의 독재에 반대하고 대통령 직선제를 요구하며 전국 곳곳에서 벌인 민주화 운동
결과	대통령 직선제, 지방 자치제 시행, 언론의 자유 보장, 지역감정 없애기 등을 포함한 6·29 민주화 선언을 이끌어 냈음.

▲ 6월 민주 항쟁

4 오늘날 시민들이 사회 공동의 문제 해결에 참여하는 모습

캠페인

서명 운동

투표

5 민주주의

의미	모든 국민이 나라의 주인으로서 권리를 갖고, 그 권리를 자유롭고 평등하게 행사하는 정치 제도
기본 정신	인간의 존엄, 자유, 평등
민주적 의사 결정 원리	• 대화와 토론을 거친 양보와 타협 • 다수결의 원칙

▲ 인간의 존엄

우리 모두는 인간으로서 소중한 가치를 지니고 있어.

인간의 존엄

6 민주 선거의 기본 원칙

선거는 민주주의의 기본이야.

보통 선거	선거일 기준으로 만 18세 이상의 국민이면 누구나 투표할 수 있음.
평등 선거	누구나 한 사람이 한 표씩만 행사할 수 있음.
직접 선거	투표는 자신이 직접 해야 함.
비밀 선거	누구에게 투표했는지 다른 사람이 알 수 없음.

Talk Talk

🕐 📍 📶 ▥▥100%

 학교 앞에 육교를 만들어 달라는 서명 운동에 참여하고 왔어.

나는 이미 했지~
서명 운동이나 SNS에 의견을 올려서 사회 공동의 문제를 해결할 수 있어서 좋아.

맞아. 예전에는 주로 대규모 집회를 열었지. 그래서 많은 사람이 다치거나 희생되었잖아.

사회 공동의 문제를 해결하는 방법이 다양해지고 더 많은 사람이 정치에 참여하게 되면서 민주주의가 우리 사회에 잘 정착하게 된 거 같아.

1일 4·19 혁명

1 4·19 혁명이 일어난 원인을 알맞게 쓴 어린이를 찾아 쓰세요.

유신 헌법

▲ 민주

3·15 부정 선거

▲ 현석

5·16 군사 정변

▲ 초롱

(   )

2 4·19 혁명에 참여한 사람들의 주장으로 알맞은 것은 어느 것입니까? (   )

① 주민 소환제를 실시하자.

② 지방 자치제를 시행하라.

③ 이승만을 대통령으로 뽑자.

④ 대통령 간선제를 실시하자.

⑤ 3·15 선거는 불법 선거이다.

3 4·19 혁명의 결과로 알맞은 것을 보기 에서 찾아 기호를 쓰시오.

보기
㉠ 지방 자치제가 실시되었습니다.
㉡ 6·29 민주화 선언이 발표되었습니다.
㉢ 이승만이 대통령 자리에서 물러났습니다.
㉣ 우리나라 민주주의의 발전이 늦어지게 되었습니다.

(   )

2일 5·18 민주화 운동

4 박정희 정부에 대한 설명으로 알맞지 <u>않은</u> 것은 어느 것입니까? (   )

① 군인들을 동원해 정권을 잡았다.

② 대통령을 할 수 있는 횟수를 제한하지 않았다.

③ 민주화를 요구하는 사람들의 의견을 무시했다.

④ 국민의 기본적인 권리를 빼앗는 등 독재 정치를 했다.

⑤ 유신 헌법을 선포한 후 대통령 간선제를 직선제로 바꿨다.

[5~6] 다음 글을 읽고, 물음에 답하시오.

전라남도 광주에서 대규모 민주화 시위가 일어나자 □□□ 은/는 시위를 진압할 계엄군을 광주에 보냈습니다. 이들은 시민들과 학생들을 향해 총을 쏘며 폭력적으로 시위를 진압했습니다. 분노한 시민들은 시민군을 만들어 군인들에게 대항했습니다.

▲ 시민을 향해 총을 쏘는 계엄군

5 위 □ 안에 들어갈 사람은 누구입니까? (   )

① 박정희   ② 이기붕   ③ 전두환

④ 김영삼   ⑤ 이승만

6 윗글에서 설명하는 사건은 무엇입니까? (   )

① 4·19 혁명   ② 6월 민주 항쟁

③ 3·15 부정 선거   ④ 5·16 군사 정변

⑤ 5·18 민주화 운동

3일 6월 민주 항쟁과 정치 참여

7 6월 민주 항쟁을 통해 시민들이 정부에 요구한 것은 무엇입니까? (   )

① 유신 헌법   ② 언론 통제

③ 독재 정치   ④ 대통령 직선제

⑤ 국회 의원 간선제

서술형

8 다음 그림 내용을 참고해 6·29 민주화 선언이 담고 있는 내용은 무엇인지 쓰시오.

_____

_____

9 다음에서 설명하는 사회 공동의 문제 해결 참여 방식은 무엇입니까? (   )

> 문제를 해결하고자 혼자서 시위를 벌입니다.

① 투표   ② 캠페인

③ 1인 시위   ④ 서명 운동

⑤ 누리 소통망 서비스에 의견 올리기

4일 민주주의

10 다음과 관련된 민주주의의 기본 정신은 무엇인지 보기에서 찾아 쓰시오.

보기

• 인간의 존엄　　　　• 자유　　　• 평등

(1) 태어나는 순간부터 존엄과 가치를 존중받아야 합니다.　（　　　　　　　）

(2) 신분, 성별, 인종 등에 따라 부당하게 차별받지 않습니다. （　　　　　　　）

(3) 국가나 다른 사람에게 구속받지 않고 자신의 의사를 스스로 결정할 수 있습니다.
（　　　　　　　）

11 다수결의 원칙에 대해 잘못 말한 어린이를 쓰시오.

준우 : 다수의 의견을 채택하는 방법이야.
유솔 : 쉽고 빠르게 문제를 해결할 수 있는 장점이 있어.
사랑 : 다수결의 원칙을 사용할 때 소수의 의견은 무시해야 해.
유찬 : 선거로 대표를 결정하는 것은 다수결의 원칙으로 의사를 결정하는 대표적인 예야.

（　　　　　　　）

 **똑똑한 하루 퀴즈**

12 다음에서 설명하는 선거의 기본 원칙을 말 상자에서 찾아 모두 ○표를 하세요.

❶ 투표는 직접 해야 함.
❷ 누구나 한 사람이 한 표씩만 행사할 수 있음.
❸ 누구에게 투표했는지 다른 사람이 알 수 없음.
❹ 선거일 기준으로 만 18세 이상의 국민이면 누구나 투표할 수 있음.

투	☆	보	간	☆
☆	유	통	☆	평
직	접	선	거	등
표	☆	거	☆	선
☆	비	밀	선	거

1 4·19 혁명에 대한 설명으로 알맞은 것은 어느 것입니까? (   )

① 1987년에 일어난 민주화 운동이다.

② 전두환의 독재 정치에 맞서 일어났다.

③ 시민들은 지방 자치제 실시를 주장했다.

④ 시위 결과 3·15 부정 선거가 무효가 되었다.

⑤ 대학교수들은 4·19 혁명에 동참하지 않았다.

2 4·19 혁명으로 대통령 자리에서 물러난 사람은 누구입니까? (   )

① 전두환   ② 이승만

③ 박정희   ④ 김대중

⑤ 노태우

3 1980년에 전라남도 광주에서 일어난 민주화 운동은 무엇입니까? (   )

① 4·19 혁명

② 12·12 사태

③ 6월 민주 항쟁

④ 5·16 군사 정변

⑤ 5·18 민주화 운동

4 5·18 민주화 운동에 참여한 사람들의 주장을 바르게 말한 어린이는 누구입니까? (   )

①  전두환은 물러나라!

②  박정희를 대통령으로 뽑자!

③  3·15 부정 선거는 무효이다!

④  유신 헌법에 찬성한다!

5 다음 민주화 운동에 대한 설명으로 알맞은 것은 어느 것입니까? (   )

▲ 6월 민주 항쟁

① 1960년에 일어난 민주화 운동이다.

② 시민들은 대통령 간선제를 주장했다.

③ 전두환의 독재 정치에 대항해 일어났다.

④ 시위 결과 이승만이 대통령 자리에서 물러났다.

⑤ 정부는 평화적인 방법으로 시위대와 타협했다.

6 다음 ㉠에 들어갈 내용으로 알맞지 <u>않은</u> 것은 어느 것입니까? ( )

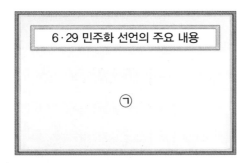

> 6·29 민주화 선언의 주요 내용
>
> ㉠

① 대통령 직선제
② 국무총리 직선제
③ 지역감정 없애기
④ 지방 자치제 시행
⑤ 언론의 자유 보장

7 다음 사진은 사회 공동의 문제 해결에 참여하는 방법 중 무엇인지 알맞게 선으로 이으시오.

(1)  • • ㉠ 투표

(2)  • • ㉡ 캠페인

(3)  • • ㉢ 1인 시위

8 다음과 관련된 민주주의의 기본 정신은 무엇인지 보기 에서 찾아 쓰시오.

가고 싶은 곳을 내 마음대로 갈 수 있어요.

보기
• 평등   • 자유   • 인간의 존엄

( )

9 다음 그림이 다수결의 원칙을 이용한 사례이면 ○표, 아니면 ✕표를 하시오.

체육 대회 종목은 축구로 결정하겠습니다.

( )

10 누구에게 투표했는지 다른 사람은 알 수 없는 선거의 원칙은 무엇입니까? ( )

① 직접 선거   ② 비밀 선거
③ 보통 선거   ④ 간접 선거
⑤ 평등 선거

1주특강

생활 속 사회

선거의 중요성과 민주 선거의 기본 원칙을 알 수 있습니다.

 선거의 중요성과 민주 선거의 원칙

1 선거에 관한 ○X 퀴즈를 풀면서 미로를 빠져 나가는 길을 선으로 연결해 보세요.

출발

민주주의의
꽃이라고도 부름.

투표는 본인이
직접 해야 함.

재산이 많은 사람은
두 표를 행사할 수 있음.

나이에 상관없이
누구나 투표할 수 있음.

누구에게 투표했는지
다른 사람이 알 수 없음.

민주주의에서 선거는
중요하지 않음.

선거 관리 위원회에서
선거가 공정하게
이루어지도록 관리함.

도착

사고 쑥쑥

5·18 민주화 운동의 과정과 의의를 알 수 있습니다.

2 다음 5·18 민주화 운동에 대해 바른 설명이 적힌 카드의 번호를 빙고 판에서 모두 찾아 ○표를 하고, 완성된 빙고는 몇 줄인지 쓰세요.

1 전두환 정부의 민주주의 탄압이 원인이 되었음.

2 유신 헌법을 반대하며 일어났음.

3 이승만 정부의 독재에 대항해 일어났음.

4 전라남도 광주에서 일어난 민주화 운동임.

5 계엄군은 평화적인 방법으로 시위를 진압했음.

6 전두환은 방송으로 민주화 운동을 전국에 알렸음.

7 많은 사람이 희생되었음.

8 우리나라 민주주의 발전에 밑거름이 되었음.

9 세계 여러 나라 민주화 운동에 영향을 주었음.

(   )줄

3 다음 만화를 보고, 지우가 조사한 사례로 알맞지 <u>않은</u> 것의 기호를 쓰세요.

( )

4 지우는 4·19 혁명의 원인을 인터넷으로 조사하고 있어요. 인터넷 검색 결과가 참으로 나왔을 때 ㉠에 들어갈 알맞은 내용은 무엇인지 보기 에서 찾아 쓰세요.

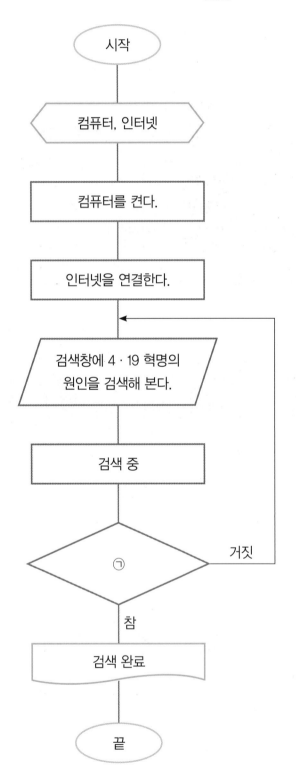

보기

▲ 3·15 부정 선거

▲ 5·16 군사 정변

대통령을 우리 손으로 뽑자! 독재 타도!

직선제로 민주정부

▲ 6월 민주 항쟁

(   )

암호를 풀어 보며, 6·29 민주화 선언에 담긴 내용을 알 수 있습니다.

5 나연이와 지우가 민주화 운동에 관한 퀴즈를 풀고 있어요. 6·29 민주화 선언의 주요 내용은 무엇인지 암호를 풀어 맞혀 보세요.

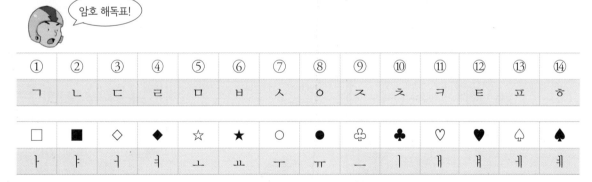

암호 해독표!

①	②	③	④	⑤	⑥	⑦	⑧	⑨	⑩	⑪	⑫	⑬	⑭
ㄱ	ㄴ	ㄷ	ㄹ	ㅁ	ㅂ	ㅅ	ㅇ	ㅈ	ㅊ	ㅋ	ㅌ	ㅍ	ㅎ

□	■	◇	◆	☆	★	○	●	♧	♣	♡	♥	♤	♠
ㅏ	ㅑ	ㅓ	ㅕ	ㅗ	ㅛ	ㅜ	ㅠ	ㅡ	ㅣ	ㅐ	ㅒ	ㅔ	ㅖ

해독한 암호

◯ ◯ ◯

여기가 대통령이 일하는 국회 의사당이지?

국회 의사당에서 대통령이 일을 한다고?

국회 의사당은 국회 의원이 법을 만드는 일을 하는 곳이야.

그럼 대통령은 법원에 있나?

법원은 판사가 재판을 하는 곳이라고.

대통령은 국회나 법원이 아닌 정부에 속한 사람이란다. 우리나라는 세종에 정부 청사도 마련해 두고 있지.

정부세종청사
Government Complex Sejong

으이구 복잡해. 그냥 한 곳에서 일을 다 하면 될텐데.

한 곳에 권력이 집중되면 문제가 생길 수 있어.

그걸 삼권 분립 이라고 하지!

입법

견제   견제

행정   사법

견제

그래서 국회, 정부, 법원 세 기관이 권력을 나누어 가지고 일을 한단다.

이제 알겠어.

▲ 대법원

정부 세종 청사에 행정 각 부가 모여서 일해.

▲ 정부 세종 청사

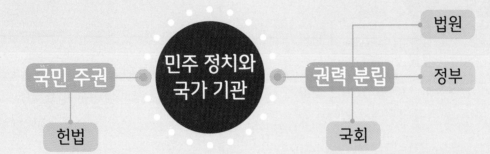

법원

국민 주권 ── 민주 정치와 국가 기관 ── 권력 분립 ── 정부

헌법

국회

대한민국 헌법

제1조 제2항
대한민국의 주권은 국민에게 있고,
모든 권력은 국민으로부터 나온다.

우리나라는 헌법에 국민 주권의 원리를 명시해 놨어.

▲ 국회 본회의장

국민 주권, 권력 분립과 같은
민주 정치의 원리와 국가 기관이
하는 일을 살펴보자.

2주 핵심 용어

이번 주에는 무엇을 공부할까? ❷

국민 주권

국민 주권
대한민국의 주권은 국민에게
모든 권력은 국민으로부터

뜻 **한 나라의 주인으로서 나라의 중요한 일을 스스로 결정하는 권리가 국민에게 있다는 것**

예 **국민 주권**의 원리는 국민의 자유와 권리를 보장하려는 것이다.

국회

國 會
나라 국 모일 회

국회에서는 법을 만들어.

뜻 **국민의 대표인 국회 의원이 나라의 중요한 일을 의논하고 결정하는 곳**

예 **국회**에서는 나라의 살림에 필요한 예산을 심의하여 확정하는 일을 한다.

우리 국민은 4·19 혁명 등 국민 주권을 지키려고 노력해 왔어.

정부

政 府
정사 정 마을 부

나라의 살림은 정부에서 책임져.
정부세종청사

뜻 **법에 따라 나라의 살림을 맡아 하는 곳**

예 **정부** 조직에는 대통령을 중심으로 국무총리와 여러 개의 부, 처, 청, 위원회가 있다.

법원

法 院
법 법 집 원

법원

뜻 **법에 따라 재판을 하는 곳**

예 **법원**은 외부의 영향이나 간섭을 받지 않아야 하며 법관은 법률에 따라 판결을 내려야 한다.

우리나라의 권력 분립과 관련된 국회, 정부, 법원, 삼권 분립 등의 용어는 꼭 기억해!

국무 회의

뜻 대통령과 국무총리, 국무 위원으로 구성된 정부의 주요 정책을 심의하는 최고의 심의 기관

↳ 자세하게 토의하는 일

예 대통령은 국무총리와 각 부의 장관을 모아 **국무 회의**를 열었다.

삼권 분립

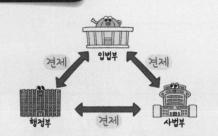

뜻 국가 권력을 국회, 정부, 법원이 나누어 맡는 것

예 우리나라는 국가 권력이 한 곳에 집중되지 못하도록 **삼권 분립**을 하고 있다.

권력이 한 곳에 집중되면 국민이 피해를 볼 수 있어.

3심 제도

뜻 한 사건에 원칙적으로 세 번까지 재판을 받을 수 있는 제도

예 국민이 공정한 재판을 받을 수 있도록 **3심 제도**를 두고 있다.

1일 국회

국가의 주인은 국민이야!

오랜 여행이 될 것 같으니 집에 가서 짐 좀 챙겨 와야겠어요.

싸우지 마세요. 법으로 해결해야죠.

'대한민국의 ◎주권은 대통령에게 있고 법보다 주먹이 먼저다.' 몰라?

◎헌법에 주권은 국민에게 있고 모든 권력은 국민으로부터 나온다고 써 있다고요!

역사 도둑이 헌법을 바꾸었나 봐요!

서둘러 역사 도둑을 잡아야겠어!

용어 체크

◎ 주권

국가의 의사를 최종적으로 결정하는 권력

예 우리 국민은 ❶[　　　　　]을 지키려고 적극적으로 노력해 왔다.

◎ 헌법

국가 통치의 기본 방침, 국민의 권리와 의무, 통치 기구의 조직 등을 정하는 최고의 법

예 우리나라 ❷[　　　　　]에서는 주권이 국민에게 있음을 분명히 하고 있다.

🐻 법을 만드는 국회!

🐹 용어 체크

📍 국회

국민의 대표로 구성한 입법 기관

예 법을 만드는 일은 ① [   ]에서 하는 가장 중요한 일이다.

📍 발의

어떤 법안을 내놓는 일

예 국회에서는 야당이 ② [   ]한 법안의 채택 여부를 둘러싸고 논의가 한창이다.

1일 개념 익히기

1 헌법에 명시된 국민 주권의 의미는 무엇일까?

└ 분명하게 드러내 보임.

대한민국 헌법

제1조 제1항
대한민국은 민주공화국이다.

제1조 제2항
대한민국의 주권은 국민에게 있고,
모든 권력은 국민으로부터 나온다.

헌법에 국민 주권이 명시되어 있어 국가가 함부로 국민의 권리를 침해할 수 없어.

- 주권이 국민에게 있음을 분명히 함.
- **국민 주권**을 실현하려고 국민의 자유와 권리를 법으로 보장하고 있음.

☑ 국가의 의사를 결정할 수 있는 최고의 권력인 **주권이 국민에게 있다**는 것입니다.

2 국회는 어떤 곳일까?

국회 의원이 일하는 국회 의사당이야.

▲ 국회 본회의장

- 국회 : 국회 의원이 나라의 중요한 일을 의논하고 결정하는 곳
- 국회 의원 : 국민의 선거로 4년마다 선출함.

☑ 국민이 뽑은 ➊(국회 의원 / 대통령)이 모여 있는 기관입니다.

3 국회는 어떤 일을 할까?

법을 만드는 일은 국회에서 하는 가장 중요한 일이야.

초등학교 주변에 과속 방지 시설을 의무적으로 설치하는 법을 제안합니다.

법을 만드는 일을 하며, 법을 고치거나 없애기도 함.

공무원에게 나랏일 가운데 궁금한 점을 질문해.

교통안전 시설 설치를 위한 예산을 꼭 편성하길 바랍니다.

나라의 살림에 필요한 예산을 심의하여 확정하고 사용한 예산을 검토함.

국 정 감 사

정부에서는 어린이 교통사고를 예방하려고 어떤 노력을 하고 있습니까?

정부가 법에 따라 일을 잘하고 있는지 확인하려고 국정 감사를 함.

☑ 국회는 ②(법 / 도덕) 제정, 예산 심의, 국정 감사 등의 일을 합니다.

정답 ❶ 국회 의원 ❷ 법

개념 체크

◇ 정답과 풀이 5쪽

1 우리나라는 주권이 ☐☐ 에게 있습니다.

2 국회 의원은 ☐ 년마다 선출합니다.

3 법을 만들고, 법을 없애거나 고치는 일을 하는 곳은 ☐☐ 입니다.

보기
· 국민   · 귀족
· 4   · 5
· 법원   · 국회

1 다음은 대한민국 헌법의 일부입니다. ☐ 안에 공통으로 들어갈 말은 어느 것입니까?

( )

> 대한민국 헌법
>
> 제1조 제1항 대한민국은 민주공화국이다.
> 제1조 제2항 대한민국의 주권은 ☐에게 있고, 모든 권력은 ☐(으)로부터
> 나온다.

① 국민　　　　　　　② 판사　　　　　　　③ 대통령
④ 국무총리　　　　　　⑤ 국회 의원

2 헌법에 국민 주권이 명시되어 있는 것은 어떤 의미가 있는지 알맞게 말한 어린이를 쓰시오.

> 형석 : 국가가 함부로 국민의 권리를 침해할 수 없다는 의미야.
> 민주 : 국민은 주권을 지키려고 노력하지 않아도 된다는 의미야.
> 주아 : 국가의 의사를 결정할 수 있는 최고 권력이 대통령에게 있다는 의미야.

( )

3 오른쪽 장소에서 일하는 국민의 대표를 쓰시오.

( )

▲ 국회 의사당

4 오른쪽 그림은 국회에서 하는 일 중 무엇입니까?

( )

① 법을 만든다.

② 재판을 한다.

③ 예산을 심의한다.

④ 예산을 확정한다.

⑤ 국정 감사를 한다.

초등학교 주변에 과속 방지 시설을 의무적으로 설치하는 법을 제안합니다.

5 다음은 국회에서 하는 일입니다. ㉠, ㉡에 들어갈 알맞은 말을 쓰시오.

국회에서는 ㉠ 가 법에 따라 일을 잘하고 있는지 확인하려고 ㉡ 감사를 합니다. 공무원에게 나랏일 가운데 궁금한 점을 질문하고, 잘못한 일이 있으면 바로 잡도록 요구합니다.

㉠ ( ) ㉡ ( )

똑똑한 하루 퀴즈

6 '국회 의원'이 주제인 퍼즐을 완성하려고 할 때 빈칸에 알맞은 퍼즐 조각에 ○표를 하세요.

국민의 대표임.

국회 의사당 에서 일함.

4년마다 선출함.

?

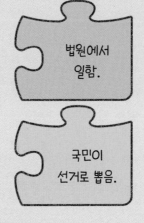

법원에서 일함.

국민이 선거로 뽑음.

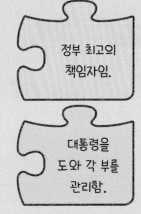

정부 최고의 책임자임.

대통령을 도와 각 부를 관리함.

2일 정부

 우리나라를 대표하는 사람은 누구야?

대통령인 김만두 어린이가 일주일간 동남아 순방을 하기로 했습니다.

우리 반 김만두가 대통령이라고?

나연이 왔니? 새로운 친구도 있네?

아…. 안녕하세요.

대통령과 국무총리는 어떻게 뽑아요?

그것도 몰라? 가위바위보로 뽑잖니~

역사 도둑 녀석! 나라를 완전히 망쳐 놨어!

나라의 중요한 일을 결정하는 정부 최고 책임자인 대통령을 가위바위보로 뽑다니.

가위바위보를 연습해서 대통령이 돼 볼까?

정신 차려!

🐻 용어 체크

📍 대통령

외국에 대하여 국가를 대표하고 나라 살림을 맡은 행정부의 우두머리가 되는 최고 통치권자

예 현재 우리나라 [❶　　　　　]의 임기는 5년이다.

📍 국무총리

대통령을 보좌하고 대통령의 명을 받아 행정 각부를 거느리는 직무를 맡은 공무원

예 대통령이 일하지 못할 때 [❷　　　　　]가 대통령의 일을 한다.

정답 ❶ 대통령　❷ 국무총리

 ## 국민의 행복을 책임지는 정부 각 부!

2
주

🐻 용어 체크

◎ 국방

외국의 침략에 대비 태세를 갖추고 국토를 방위하는 일

예 우리나라 국민이라면 국가의 안전을 위해
❶ [   ]의 의무를 져야 한다.

◎ 보건

병의 예방, 치료 따위로 사람의 건강과 생명을 보호하는 일

예 식품 위생 감시를 강화하겠다고 ❷ [   ]
당국에서 발표했다.

정답 ❶ 국방 ❷ 보건

1 정부는 어떤 곳일까?

이곳은 정부 세종 청사야.

하는 일

법에 따라 **나라의 살림**을 맡아 하는 곳

조직

대통령, 국무총리와 여러 개의 부, 처, 청 위원회가 있음.

☑ 정부는 법에 따라 나라의 **①(살림 / 재판)**을 맡아 하는 곳입니다.

2 대통령과 국무총리가 하는 일을 알아볼까?

국무회의 : 정부 최고의 심의 기관으로 대통령과 국무총리, 국무 위원으로 구성됨.

대통령

• **정부 최고의 책임자**로 외국에 우리나라를 대표함.
• 5년마다 국민이 직접 뽑음.

국무총리

• 대통령을 도와 각 부를 관리함.
• 대통령이 특별한 이유로 일을 못하면 대통령의 임무를 대신함.

☑ 대통령은 정부 최고의 책임자이며, **②(국무총리 / 국회 의원)**은/는 대통령을 도와 각 부를 관리합니다.

3 정부의 각 부에서 하는 일을 알아볼까?

식품의약품안전처 : 식품과 의약품 등의 안전을 책임짐.

국방부 : 나라를 지킴.

보건복지부 : 국민의 건강을 책임짐.

외교부는 다른 나라에 있는 우리 국민을 보호하는 일도 하지!

교육부 : 국민의 교육에 관한 일을 책임짐.

문화재청 : 우리나라의 문화 유산을 보호하고 관리함.

외교부 : 다른 나라와 협력할 수 있는 정책을 만듦.

☑ 각 부의 장관과 차관, 많은 공무원이 국민의 안전과 행복을 위해 여러 가지 일을 하고 있습니다.

정답 ❶ 살림 ❷ 국무총리

개념 체크

◇ 정답과 풀이 5쪽

1 법에 따라 나라의 살림을 맡아 하는 곳은 ☐☐ 입니다.

2 정부의 최고 책임자는 ☐☐☐ 입니다.

3 국민의 교육에 관한 일을 책임지는 곳은 ☐☐☐ 입니다.

보기
• 국회   • 정부
• 대통령   • 변호사
• 외교부   • 교육부

1 정부에 대한 설명으로 알맞은 것은 어느 것입니까? (   )

① 법에 따라 재판을 한다.

② 법을 만들거나 고치는 일을 한다.

③ 법에 따라 나라의 살림을 맡아 한다.

④ 대통령과 국무총리로만 구성되어 있다.

⑤ 국회 의사당에 행정 각 부가 모여 일을 한다.

2 다음에서 설명하는 사람은 누구인지 보기 에서 찾아 쓰시오.

- 대통령을 도와 각 부를 관리함.
- 대통령이 외국을 방문하거나 특별한 이유로 일하지 못하면 대통령의 임무를 대신함.

보기
- 변호사
- 검사
- 국무총리
- 국회 의원

(   )

3 오른쪽과 같은 일을 하는 정부 조직은 어디입니까?

(   )

① 외교부

② 통일부

③ 법무부

④ 문화재청

⑤ 식품의약품안전처

식품과 의약품 등의 안전을 책임져요.

4 국민의 건강을 책임지고 있는 정부 조직은 어디입니까? (   )

① 교육부   ② 국방부   ③ 통일부

④ 기상청   ⑤ 보건복지부

5 오른쪽 말풍선 안에 들어갈 내용으로 알맞은 것은 어느 것입니까? ( )

① 나라를 지켜요.

② 우리나라의 문화유산을 보호해요.

③ 기상을 관측해 날씨를 알려 줘요.

④ 국민의 교육에 관한 일을 책임져요.

⑤ 다른 나라와 협력할 수 있는 정책을 만들어요.

▲ 외교부

집중 연습 문제 대통령

6 대통령이 속한 정부와 관련 있는 다음 장소는 어디입니까?

( )

① 국회   ② 구청   ③ 법원

④ 헌법 재판소   ⑤ 정부 세종 청사

①~⑤ 중 법을 만드는 곳의 번호를 써 볼까?

7 대통령에 대한 설명으로 알맞지 <u>않은</u> 것은 어느 것입니까?

( )

① 5년마다 뽑는다.

② 정부의 최고 책임자이다.

③ 각 부 장관들이 모여 뽑는다.

④ 나라의 중요한 일을 결정한다.

⑤ 외국에 대해 우리나라를 대표한다.

대통령이 되면 국가와 국민을 위해 일해야 해.

헌법과 관련된 다툼은 헌법 재판소에서!

용어 체크

합헌

헌법의 취지에 맞는 일

예 헌법 재판소는 이 조항에 대해 ① ☐ 이라고 판정했다.

기본권

헌법에 보장되어 있는 국민의 기본적인 권리

예 민주 국가는 국민의 ② ☐ 을 보장하고 있다.

정답 ① 합헌 ② 기본권

재판은 공정하게 받을 수 있어!

미래의 헌법 재판소 앞

오늘이 헌법 재판소의 판결이 있는 날이야.

헌법 재판소에서는 어떤 방법으로 판결을 해요?

중요한 결정을 내릴 때에는 아홉 명의 재판관 중 여섯 명 이상이 찬성을 해야 한단다.

그렇구나. 미래에도 공정한 재판을 위한 제도가 있어요?

미래에도 ♥**3심 제도**, ♥**사법권**의 독립을 보장하고 있어.

파 앗

훗! 판결을 뒤집겠어.

앗! 뭐야! 바닥에 끈끈이가!

드디어 잡았다! 역사 도둑!

때론 최신 기기보다 옛 물건이 쓸모 있다고요.

용어 체크

♥ 3심 제도

한 사건에 대해 세 번의 재판을 받을 수 있는 제도

예 총 세 번에 걸쳐 심판을 받을 수 있기 때문에

❶ [   ]라고 한다.

♥ 사법권

민사, 형사, 행정에 관한 재판권

예 공정한 재판을 위해서 ❷[   ]의

독립이 필요하다.

정답 ❶ 3심 제도 ❷ 사법권

3일 개념 익히기

▶ 개념 동영상

1 법원에서는 어떤 일을 할까?

법을 지키지 않은 사람을 처벌함.

사람들 사이의 다툼을 해결함.

개인과 국가, 지방 자치 단체 사이에서 생긴 갈등을 해결함.

☑ 법원은 법에 따라 ❶(재판 / 입법)을 하는 곳입니다.

2 헌법 재판소는 어떤 일을 할까?

헌법 재판소에는 아홉 명의 재판관이 있으며, 중요한 결정을 내릴 때는 여섯 명 이상이 찬성을 해야 해.

⤷ 잘못을 저지른 사람에게 일을 그만두게 하는 것

• 지위가 높은 공무원의 파면을 심판함.
• 법률이 헌법에 어긋나지 않는지 판단함.
• 국가 기관이 국민의 기본권을 침해했는지를 판단함.

☑ 헌법 재판소는 헌법과 관련된 다툼을 해결하는 일을 합니다.

3 법원에서는 공정한 재판을 하려고 어떤 노력을 할까?

사법권의 독립
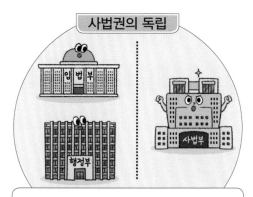
법원은 외부의 영향이나 간섭을 받지 않음.

법에 따른 재판

법관은 헌법과 법률에 따라 공정하게 판결을 내림.

재판 공개

특정한 경우를 제외하고 재판을 공개해야 함.

3심 제도
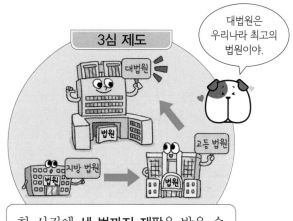
대법원은 우리나라 최고의 법원이야.

한 사건에 **세 번까지 재판**을 받을 수 있음.

사법권의 독립, 법에 따른 재판, 재판 공개, ❷(3심 / 4심) 제도 등의 노력을 하고 있습니다.

정답 ❶ 재판 ❷ 3심

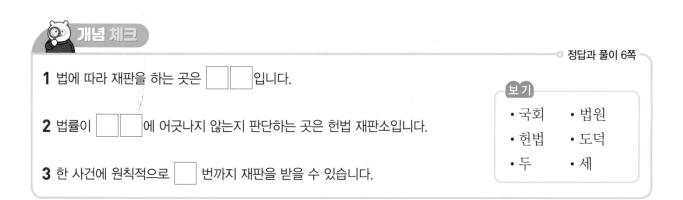

개념 체크

◦ 정답과 풀이 6쪽

1 법에 따라 재판을 하는 곳은 ☐☐입니다.

2 법률이 ☐☐에 어긋나지 않는지 판단하는 곳은 헌법 재판소입니다.

3 한 사건에 원칙적으로 ☐ 번까지 재판을 받을 수 있습니다.

보기
• 국회   • 법원
• 헌법   • 도덕
• 두   • 세

1 법원에 대한 설명으로 알맞은 것은 어느 것입니까? (   )

① 대통령이 최고 책임자이다.

② 법을 만드는 일을 하는 곳이다.

③ 법에 따라 재판을 하는 곳이다.

④ 법에 따라 나라의 살림을 맡아 하는 곳이다.

⑤ 판사들이 나라의 중요한 일을 의논하고 결정하는 곳이다.

2 법원에서 법을 지키지 않은 사람을 처벌하는 모습의 기호를 쓰시오.

(   )

3 다음과 같은 일을 하는 기관은 어디인지 쓰시오.

> • 지위가 높은 공무원의 파면을 심판합니다.
> • 법률이 헌법에 어긋나지 않는지 판단합니다.
> • 헌법과 관련된 다툼을 해결하는 일을 하는 곳입니다.
> • 국가 기관이 국민의 기본권을 침해했는지 판단합니다.

(   )

4 다음에서 설명하는 제도는 무엇인지 쓰시오.

> 우리나라에서는 한 사건에 대해 원칙적으로 세 번까지 재판을 받을 수 있습니다.
> 1심은 지방 법원, 2심은 고등 법원, 최종 확정 판결은 대법원에서 담당합니다.

(   )

5 공정한 재판을 위한 노력이 <u>아닌</u> 것은 어느 것입니까? (   )

① 법원이 외부의 영향을 받지 않게 한다.

② 법관은 헌법과 법률에 따라 판결을 한다.

③ 특정한 경우를 제외하고 재판을 공개한다.

④ 국무 회의에서 정부의 주요 정책을 심의한다.

⑤ 한 사건에 원칙적으로 세 번까지 재판을 받을 수 있다.

6 다음 ㉠, ㉡에 들어갈 숫자가 비밀번호의 뒷자리입니다. 비밀번호는 무엇인지 쓰세요.

> 헌법 재판소에는 ㉠ 명의 재판관이 있으며, 중요한 결정을 내릴 때에는 ㉡ 명 이상이 찬성을 해야 합니다.

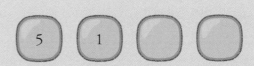

4_일 삼권 분립

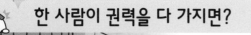

한 사람이 권력을 다 가지면?

시간 여행을 하면서 내멋대로 살 수 있었는데 이렇게 잡히다니……

세상을 뒤죽박죽 어지럽힌 벌은 받아야죠.

그럼 그럼.

날 풀어 주고 왕처럼 사는 건 어때? ♥**루이 14세**처럼 절대 ♥**권력**을 가질 수도 있어.

한 사람이 권력을 다 가지는 건 위험해.

권력을 마음대로 사용하고 잘못된 결정을 할 수 있거든요.

흠~ 왕처럼 살 수 있다고?

정신 차려!

🐼 용어 체크

♥ 루이 14세
프랑스 역사상 가장 강력한 권력을 가졌던 왕
예 프랑스의 왕 ❶ [   ]는 마음대로 법을 만들어 집행했다.

♥ 권력
남을 복종시키거나 지배할 수 있는 권리와 힘
예 한 기관에 ❷ [   ]이 모두 있다면 국민이 피해를 볼 것이다.

정답 ❶ 루이 14세 ❷ 권력

 권력을 셋으로 나눈다고?

2
주

용어 체크

♀ 분립

따로 나누어서 세우는 것

예 삼권 **❶** [   ] 은 민주 사회를 위한 기본적인 원칙이다.

♀ 권리

어떤 일을 행하거나 타인에 대하여 당연히 요구할 수 있는 힘이나 자격

예 민주주의 국가에서는 국민의 **❷** [   ] 와 자유가 보장된다.

정답 ❶ 분립 ❷ 권리

1 우리나라의 권력 분립은 어떻게 이루어지고 있을까?

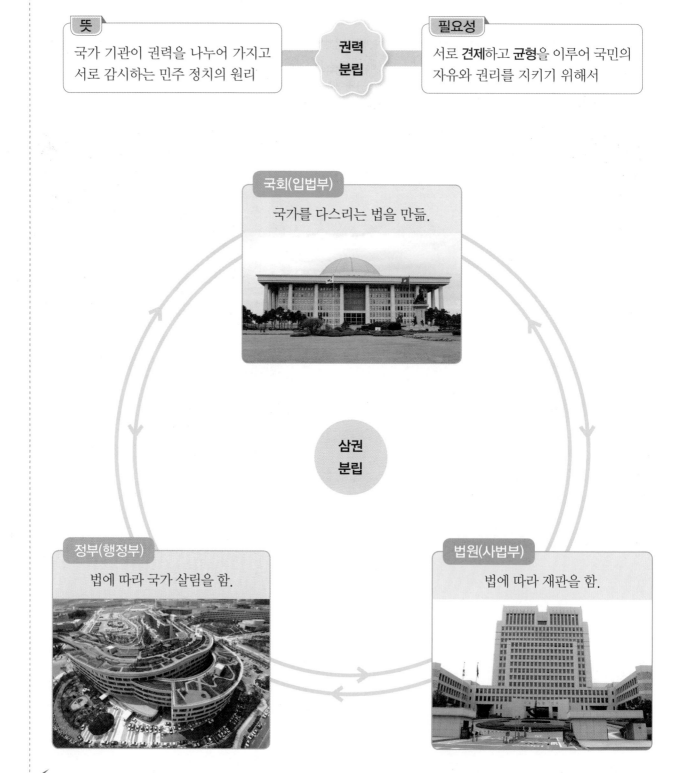

뜻
국가 기관이 권력을 나누어 가지고 서로 감시하는 민주 정치의 원리

권력 분립

필요성
서로 **견제**하고 **균형**을 이루어 국민의 자유와 권리를 지키기 위해서

국회(입법부)
국가를 다스리는 법을 만듦.

삼권 분립

정부(행정부)
법에 따라 국가 살림을 함.

법원(사법부)
법에 따라 재판을 함.

☑ 우리나라는 국가 권력을 국회, 정부, 법원이 나누어 맡는데 이를 ❶(삼권 / 사권) 분립이라고 합니다.

2 국가 기관이 서로 어떻게 견제하는지 살펴볼까?

국회가 정부를 견제하는 사례

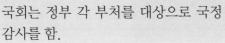

국회는 정부 각 부처를 대상으로 국정 감사를 함.

정부, 국회가 법원을 견제하는 사례

대통령이 대법관 후보자를 선정하고, 국회가 임명 동의안을 처리함.

법원이 국회를 견제하는 사례

법원이 헌법 재판소에 국회가 만든 법이 헌법에 위반되는지의 여부를 판단해 달라고 요청함.

정부가 국회를 견제하는 사례

대통령은 국무 회의에서 국회에서 입법한 법률안에 대해 거부권을 행사하는 방안을 검토함.

☑ 국회의 국정 감사, ❷(정부 / 입법부)의 법률안 거부권, 법원의 위헌 법률 심사 제청권 등이 있습니다.

└ 헌법에 위반되는 것   └ 어떤 안건을 제시하여 결정해 달라고 청구하는 것

정답 ❶ 삼권 ❷ 정부

🐻 개념 체크

◇ 정답과 풀이 6쪽

1 우리나라는 국가 권력을 국회, ☐☐, 법원이 나누어 맡습니다.

2 권력 분립을 통해 국민의 ☐☐와 권리를 지킬 수 있습니다.

3 국회에서는 정부가 일을 제대로 하는지 ☐☐ 감사를 실시합니다.

보기
• 정부   • 왕실
• 자유   • 독재
• 법률   • 국정

[1~2] 다음은 우리나라의 권력 분립 모습입니다.

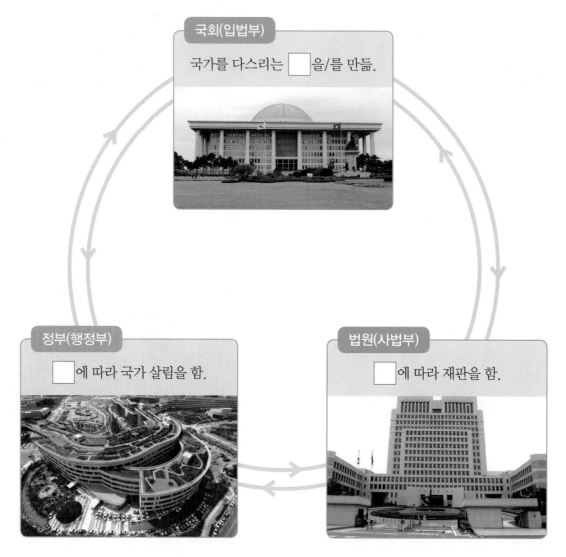

국회(입법부)

국가를 다스리는 ☐을/를 만듦.

정부(행정부)

☐에 따라 국가 살림을 함.

법원(사법부)

☐에 따라 재판을 함.

1 위와 같이 국가 권력을 국회, 정부, 법원 세 기관이 나누어 맡는 것을 무엇이라고 하는지 쓰시오.

(   )

2 위 ☐ 안에 공통으로 들어갈 알맞은 말은 어느 것입니까? (   )

① 법   ② 도덕   ③ 예의

④ 문화   ⑤ 질서

3 법원이 국회를 견제하는 방법으로 알맞은 것은 어느 것입니까? (   )

① 국회에서 국정 감사를 실시한다.

② 대통령이 대법관 후보자를 선정한다.

③ 국회가 대법관 임명 동의안을 처리한다.

④ 정부에서 국회가 만든 법률안에 거부권을 행사한다.

⑤ 법원이 헌법 재판소에 국회가 만든 법의 위헌 여부를 판단해 달라고 요청한다.

집중 **연습 문제** **권력 분립의 필요성**

[4~5] 다음은 삼권 분립의 사례입니다.

㉠

대통령은 국무 회의에서 국회에서 입법한 법률안에 대한 거부권 행사를 검토하기로 했음.

㉡
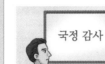
국정 감사

국회는 정부 각 부처를 대상으로 20일간의 국정 감사에 들어갔음.

㉠, ㉡ 중 국회가 정부를 견제한 사례는 무엇인지 기호를 써 봐.

4 위 ㉠은 정부가 국회, 법원 중 어디를 견제한 사례인지 쓰시오.

(   )

5 위와 같이 우리나라에서 국가의 일을 나누어 맡는 까닭으로 알맞은 것을 두 가지 고르시오. (,   )

① 민주 정치의 발전을 막기 위해서

② 국민의 자유와 권리를 지키기 위해서

③ 대통령 한 사람에게 권력을 집중시키기 위해서

④ 중요한 결정에 국민의 뜻을 반영하지 않기 위해서

⑤ 국가 기관이 서로 견제하고 균형을 이루게 하기 위해서

한 사람이나 기관이 국가의 중요한 일을 결정하는 권한을 모두 가진다면 어떤 일이 생길지 생각해 봐.

1 국민 주권

국가가 함부로 국민의 권리를 침해할 수 없구나!

① 의미 : 국가의 주인으로서의 권리가 국민에게 있다는 것
② 헌법에 명시된 국민 주권의 원리

> **대한민국 헌법**
>
> 제1조 제1항 대한민국은 민주공화국이다.
> 제1조 제2항 대한민국의 주권은 국민에게 있고, 모든 권력은 국민으로부터 나온다.

2 국회

① 의미 : 국회 의원이 나라의 중요한 일을 의논하고 결정하는 곳
② 국회가 하는 일

입법에 관한 일	• 법을 만드는 일을 함. • 법을 고치거나 없애기도 함.
국가 재정에 관한 일	• 나라 살림에 필요한 예산을 심의하여 확정하는 일을 함. • 정부에서 계획한 예산안을 살펴보고, 이미 사용한 예산이 잘 쓰였는지 검토함.
국정에 관한 일	정부가 법에 따라 일을 잘하고 있는지 확인하려고 국정 감사를 함.

3 정부

정부 최고의 책임자는 대통령이야.

① 의미 : 법에 따라 나라의 살림을 맡아 하는 곳
② 정부에서 하는 일

교육부	국민의 교육에 관한 일을 책임짐.
외교부	다른 나라에 있는 우리 국민을 보호함.
보건복지부	국민의 건강을 책임지고 있음.
식품의약품 안전처	식품과 의약품 등의 안전을 책임짐.
국방부	나라를 지킴.

다른 나라와 협력할 수 있는 정책을 만들어요.

▲ 외교부

4 법원

법관은 헌법과 법률에 따라 판결을 내려.

의미	법에 따라 재판을 하는 곳
공정한 재판을 위한 제도	• 사법권의 독립 : 법원은 정부나 국회의 간섭을 받지 않음. • 재판 공개 : 특정한 경우를 제외하고 재판의 과정과 결과를 공개함. • 3심 제도 : 한 사건에 세 번까지 재판을 받을 수 있음.

5 삼권 분립

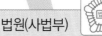
국회(입법부)
국가를 다스리는 법을 만듦.

견제

견제

정부(행정부)
법에 따라 국가 살림을 함.

견제

법원(사법부)
법에 따라 재판을 함.

의미	국가 권력을 국회, 정부, 법원이 나누어 맡는 것
하는 까닭	한 기관이 국가의 중요한 일을 마음대로 처리할 수 없도록 서로 견제하고 균형을 이루게 하여 국민의 자유와 권리를 지키려는 것임.

하루 뉴스

20○○년 ○월 ○일

안녕하십니까?
천재 TV 오늘의 정치 뉴스입니다.

여야가 국무총리 후보자 인사 청문회를 오는 24~25일 실시하기로 합의했습니다.

인사 청문회를 이틀간 실시한 후 26일 국회에서 인사 청문회 결과 보고서 채택 여부를 결정합니다. 보고서가 채택되면 31일 국회 본회의에서 총리 인준안을 표결합니다.

여당은 국무총리 후보자가 무난하게 인사 청문회를 통과할 것으로 기대하였으나 야당은 후보자의 도덕성과 자질의 엄격한 검증을 예고했습니다.

국무총리 인사 청문회

대통령이 정부의 고위 공직자를 임명하고자 할 때, 그 후보자가 공직자로서의 자질과 능력이 있는지 국회에서 검증받는 제도

1일 국회

1 다음에서 설명하는 것은 무엇입니까? (   )

> 국민이 한 나라의 주인으로서 나라의 중요한 일을 스스로 결정하는 권리를 말합니다.

① 자유　　　　　　② 평등　　　　　　③ 헌법
④ 국민 주권　　　　⑤ 권력 분립

2 국회 의원에 대한 설명으로 알맞은 것은 어느 것입니까? (   )

① 임기는 5년이다.
② 정부의 최고 책임자이다.
③ 정부 청사에서 일을 한다.
④ 국민의 선거를 통해 선출된다.
⑤ 대통령을 도와 각 부를 관리한다.

3 국회에서 하는 일로 알맞지 <u>않은</u> 것의 기호를 쓰시오.

▲ 입법

▲ 재판

▲ 국정 감사

(   )

2일 정부

4 다음 대통령에 대한 설명 중 <u>잘못된</u> 것의 기호를 쓰시오.

> 대통령은 ㉠ 외국에 대해 우리나라를 대표하며, ㉡ 정부의 최고 책임자로 나라의 중요한 일을 결정합니다. 대통령은 ㉢ 4년마다 국회 의원이 선출합니다.

(   )

5 오른쪽 말풍선 안에 들어갈 내용으로 알맞은 것은 어느 것입니까? (   )

① 나라를 지켜요.

② 국민의 건강을 책임지고 있어요.

③ 국토를 개발하는 일을 담당해요.

④ 기상을 관측해 날씨를 알려 줘요.

⑤ 다른 나라와 협력할 수 있는 정책을 만들어요.

▲ 국방부

6 다음 정부 조직에서 하는 일을 알맞게 선으로 이으시오.

(1) 외교부 •

(2) 교육부 •

(3) 문화재청 •

• ㉠ 다른 나라에 있는 우리 국민을 보호함.

• ㉡ 우리나라의 문화유산을 보호하고 관리함.

• ㉢ 국민의 교육에 관한 일을 책임짐.

3일 법원

7 법원에서 하는 일로 알맞은 것을 두 가지 고르시오. (　　,　　)

① 법을 만든다.

② 법을 지키지 않은 사람을 처벌한다.

③ 사람들 사이의 다툼을 해결해 준다.

④ 법에 따라 나라의 살림을 맡아 한다.

⑤ 나라의 중요한 일을 의논하고 결정한다.

서술형

8 다음과 같은 제도를 두는 까닭은 무엇인지 쓰시오.

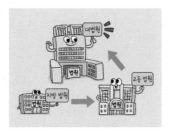  

▲ 3심 제도　　　　▲ 사법권의 독립　　　　▲ 재판 공개

9 헌법 재판소에 대한 설명으로 알맞지 <u>않은</u> 것은 어느 것입니까? (　　　)

① 법을 만드는 일을 한다.

② 헌법과 관련된 다툼을 해결한다.

③ 법률이 헌법에 어긋나지 않는지 판단한다.

④ 지위가 높은 공무원들의 파면을 심판한다.

⑤ 국가 기관이 국민의 기본권을 침해했는지 판단한다.

10 삼권 분립에 대한 설명으로 알맞은 것을 보기 에서 찾아 기호를 쓰시오.

> 보기
>
> ㉠ 국민의 자유와 권리를 제한하기 위한 것입니다.
> ㉡ 입법부는 국회, 사법부는 정부, 행정부는 법원입니다.
> ㉢ 국가 권력을 국회, 정부, 법원이 나누어 맡는 것입니다.

(   )

11 국회가 정부를 견제하는 방법으로 알맞은 것은 어느 것입니까? (   )

① 국회에서 국정 감사를 실시한다.

② 대통령이 대법관 후보자를 선정한다.

③ 국회가 대법관 임명 동의안을 처리한다.

④ 정부에서 국회가 만든 법률안에 거부권을 행사한다.

⑤ 법원이 헌법 재판소에 국회가 만든 법의 위헌 여부를 판단해 달라고 요청한다.

똑똑한 **하루 퀴즈**

12 다음 초성 퀴즈를 풀어 보세요.

Q 대통령을 보좌하며 각 부를 관리하는 사람은?

❶ ㄱ ㅁ ㅊ ㄹ

Q 국가 기관이 권력을 나누어 가지고 서로 감시하는 민주 정치의 원리는?

❷ ㄱ ㄹ ㅂ ㄹ

❶ (   ) ❷ (   )

1 다음 ☐ 안에 들어갈 알맞은 말은 무엇입니까? ( )

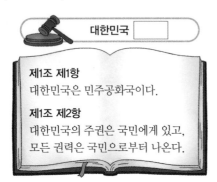

대한민국 ☐

제1조 제1항
대한민국은 민주공화국이다.

제1조 제2항
대한민국의 주권은 국민에게 있고, 모든 권력은 국민으로부터 나온다.

① 도덕   ② 헌법   ③ 예의
④ 질서   ⑤ 조례

2 다음 장소에서 일하는 사람은 누구입니까? ( )

① 검사   ② 판사   ③ 변호사
④ 대통령   ⑤ 국회 의원

3 국회 의원에 대한 설명으로 알맞은 것에 ○표를 하시오.

(1) 법원에서 일을 합니다. ( )

(2) 정부 최고의 책임자입니다. ( )

(3) 국민이 4년마다 선출합니다. ( )

4 다음은 국회 의원이 하는 일 중 무엇입니까? ( )

국정 감사

정부에서는 어린이 교통사고를 예방하려고 어떤 노력을 하고 있습니까?

① 법을 만든다.

② 법을 고친다.

③ 법을 없앤다.

④ 정부에서 계획한 예산안을 심의한다.

⑤ 정부가 법에 따라 일을 잘하고 있는지 감시한다.

5 식품과 의약품 등의 안전을 책임지는 정부 조직은 어디입니까? ( )

①
▲ 문화재청

②
▲ 외교부

③
▲ 교육부

④
▲ 식품의약품안전처

6 다음에서 설명하는 사람은 누구인지 쓰시오.

> 정부 최고의 책임자로 외국에 우리나라를 대표합니다.

(   )

7 국무총리에 대한 설명으로 알맞은 것을 두 가지 고르시오. (,   )

① 법을 만드는 일을 한다.

② 국회 의사당에서 일을 한다.

③ 5년마다 국민이 직접 뽑는다.

④ 대통령을 도와 각 부를 관리한다.

⑤ 대통령의 임무를 대신하기도 한다.

8 다음 중 법원에서 하는 일에 ○표를 하시오.

▲ 입법   ▲ 재판

(   )   (   )

9 공정한 재판을 위한 노력으로 알맞지 <u>않은</u> 것은 어느 것입니까? (   )

① ▲ 사법권의 독립   ② ▲ 법에 따른 재판

③ ▲ 평등 선거   ④ ▲ 3심 제도

10 다음은 삼권 분립을 나타낸 자료입니다. ㉠~㉢에 들어갈 알맞은 기관을 각각 쓰시오.

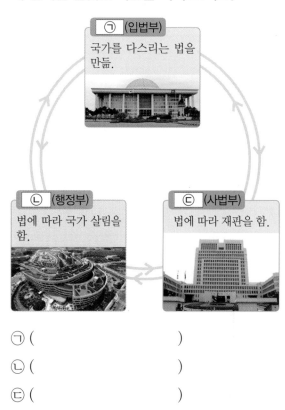

㉠ (입법부) 국가를 다스리는 법을 만듦.

㉡ (행정부) 법에 따라 국가 살림을 함.

㉢ (사법부) 법에 따라 재판을 함.

㉠ (   )

㉡ (   )

㉢ (   )

2주특강

생활 속 **사회**

국회가 우리 일상생활에 중요한 영향을 미치고 있음을 알 수 있습니다.

1 다음 대화와 관련된 신문 기사는 무엇인지 기호를 쓰세요.

ㄱ
> 20△△년 △△월 △△일
>
> □□□ 의원, 『어린이 보호 구역 내
> 교통안전 시설 설치 의무화 법안』 발의

ㄴ
> 20△△년 △△월 △△일
>
> 대통령, 국회 법률안 거부권 검토

ㄷ
> 20△△년 △△월 △△일
>
> 대법관 후보자 3명
> 임명 동의안 국회 제출

ㄹ
> 20△△년 △△월 △△일
>
> 법원, 동성동본 금혼법 위헌 제청

(   )

법원이 우리의 일상생활과 밀접한 관련이 있음을 알 수 있습니다.

2 나연이가 층간 소음 문제로 지우와 대화를 나누고 있어요.

(1) 층간 소음 문제처럼 개인 간에 생긴 문제를 재판하는 기관에 ○표를 하세요.

(2) 위 밑줄 친 내용에 해당하는 재판 사례는 무엇인지 기호를 쓰세요.

(   )

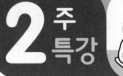

사고 쑥쑥

십자말풀이를 하며, 민주 정치의 원리와 국가 기관의 역할을 알 수 있습니다.

3 다음 십자말풀이를 해 보세요.

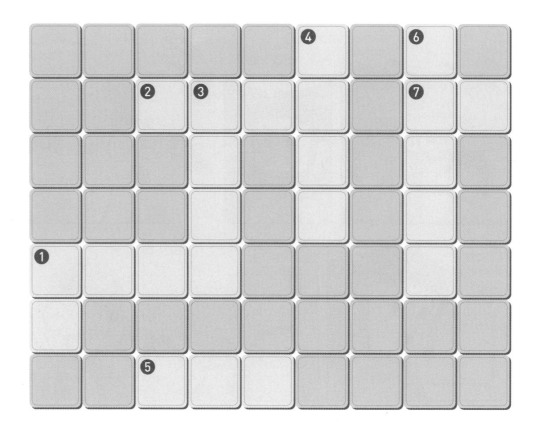

→ 가로

1 정부의 주요 정책을 심의하는 최고의 심의 기관으로 대통령, 국무총리와 국무 위원으로 구성

2 국가의 주인된 권리가 국민에게 있다는 민주 정치의 원리

5 외국에 우리나라를 대표하는 정부의 최고 책임자

7 법에 따라 재판을 하는 곳

↓ 세로

1 국회 의원이 나라의 중요한 일을 의논하고 결정하는 곳

3 모든 국민이 나라의 주인으로서 권리를 가지고, 그 권리를 자유롭고 평등하게 행사하는 정치 제도

4 국가 권력을 국회, 정부, 법원이 나누어 가지고 서로 감시하는 민주 정치의 원리

6 법률이 헌법에 어긋나지 않는지 또는 국가 기관이 국민의 기본권을 침해했는지를 판단하는 곳

퀴즈를 풀어 보며, 행정 각 부에서 하는 일을 알 수 있습니다.

4 행정 각 부가 하는 일로 바른 설명을 따라 강을 무사히 건너 보세요.

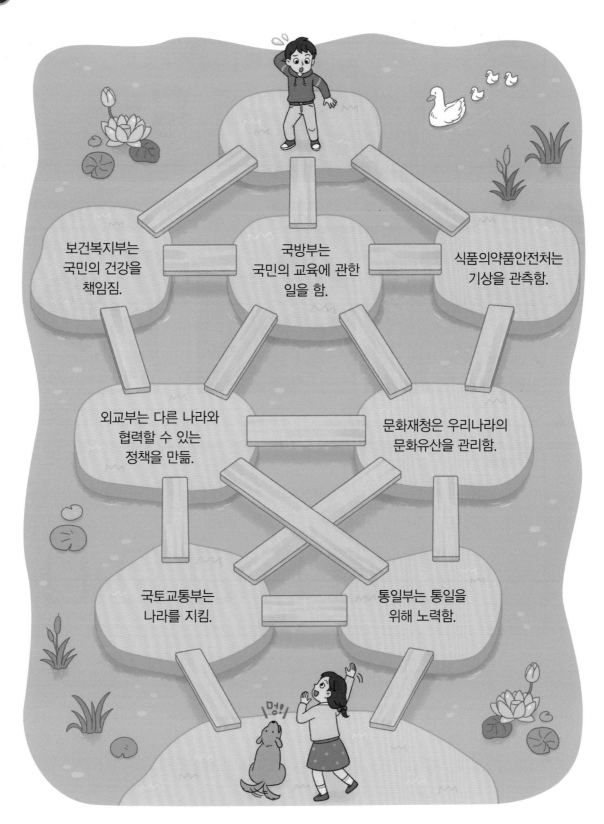

2주 특강

논리 탄탄

비밀번호를 풀어 보며, 국회에서 하는 일에 대해 알 수 있습니다.

5 역사 도둑이 놓고 간 상자를 열기 위해서는 비밀번호가 필요해요. 힌트를 보고 비밀번호를 맞혀 보세요.

▶ 다음 ○ 안에 들어갈 글자 카드에 적힌 숫자를 순서대로 누르시오.

국회는 정부가 법에 따라 일을 잘하고 있는지 확인하려고 ○○ ○○를
합니다.

국	정	기	감	상	사
1	2	3	4	5	6

비밀번호

컴퓨터의 표현 방법인 픽셀을 생각해 보며, 정부의 구성과 하는 일에 대해 알 수 있습니다.

6 힌트를 보고 네모 칸을 색칠하여 역사 도둑이 있는 장소는 어디인지 맞혀 보세요.

힌트!

▶ 정부와 관련된 바른 설명이 적힌 카드의 번호를 색칠하시오.

1	2	3	4
정부 최고의 책임자는 대통령임.	국회 의원은 대통령을 도와 각 부를 관리함.	법을 만들거나 고치는 일을 함.	법에 따라 나라의 살림을 맡아 함.

2	1	1	1	2	2	3	3	4	3	3	4
2	2	2	1	2	2	3	4	4	4	3	4
2	2	2	1	2	2	3	3	3	3	3	4
1	1	1	1	1	2	3	4	4	4	3	4
2	2	1	2	2	2	3	4	3	4	3	4
2	2	1	2	2	2	3	4	4	4	3	4
2	1	1	1	2	2	3	3	4	3	3	4
2	2	2	1	2	2	4	4	4	4	4	4
2	2	2	1	2	2	3	3	3	3	3	4

사람들은 일해서 얻는 소득으로 생활을 하지.

▲ 일하는 모습

장래 희망
▲ 직업 선택의 자유

가계

기업

가계와 기업이 만남. 시장

경제 활동

특징

자유

경쟁

▲ 시장

사람들은 시장에서 각자 원하는 물건을 자유롭게 고를 수 있어.

면접관
▲ 면접을 통한 경쟁

가계와 기업의 역할을 이해하고, 경제 체제의 특징을 잘 알아 두면 우리도 합리적인 선택을 할 수 있어.

가 계

家 計
집 가   셀 계

돈이 들어왔다가 나갔다가 하네.

뜻 │ 가정 살림을 같이하는 생활 공동체로, 기업의 생산 활동에 참여하고 소비 활동을 함.

예 │ **가계**는 생산 활동의 대가로 소득을 얻고, 소득으로 필요한 물건을 구입한다.

우리 부모님도 생산 활동, 소비 활동을 하고 있어.

이 윤

利 潤
이로울 이   붙을 윤

뜻 │ 물건이나 서비스를 생산·판매해 얻게 되는 순수한 이익

예 │ 기업은 물건을 생산해 판매하거나 서비스를 제공해 **이윤**을 얻는다.

기 업

企 業
꾀할 기   업 업

뜻 │ 가계에서 노동과 자본 등의 생산 요소를 제공받아 재화와 서비스를 생산, 공급해 이윤을 얻는 조직체
사람이 바라는 바를 충족시켜 주는 모든 물건

예 │ 우리가 구입하는 물건은 주로 **기업**에서 생산되었다.

선택 기준

選 擇
가릴 선   가릴 택
基 準
터 기   준할 준

기준을 세워 신중하게 결정해야지!

뜻 │ 합리적 선택을 하기 위해 고려해야 하는 품질, 디자인, 가격 등의 기준

예 │ 물건에는 모두 특징이 있어서 물건을 선택하려면 **선택 기준**이 필요하다.

가계와 기업은 다양한 경제 활동을 해. 가계와 기업이 어떠한 경제 활동을 하는지 구분해서 기억해야 해.

일을 해서 돈을 벌고,

번 돈을 쓰지요.

경제 활동

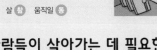

經 濟
지날 경 건널 재

活 動
살 활 움직일 동

뜻 사람들이 살아가는 데 필요한 물건과 생활에 편리함을 주는 서비스를 생산, 분배, 소비하는 모든 활동

예 사람들은 **경제 활동**으로 얻은 소득을 자신의 결정에 따라 자유롭게 사용할 수 있다.

허위 광고

虛 僞
빌 허 거짓 위

廣 告
넓을 광 고할 고

뜻 실제 해당되지 않는 자료나 정보를 사용하는 광고

예 소비자들이 **허위 광고**를 보고 피해를 입을 수 있다.

기업끼리 가격을 상의해 올릴 수 없도록 감시해야지!

담합

談 合
말씀 담 합할 합

우리끼리 가격을 정합시다.

뜻 생산품이 비슷한 회사끼리 서로 짜고 생산량과 물건의 가격을 미리 결정해서 소비 시장에서 막대한 이익을 챙기는 행위

예 음료수 회사끼리 **담합**을 해서 재료 가격은 내렸지만 상품 가격이 올랐다.

내가 이 연필을 샀는데, 글쎄 들고만 있어도 공부가 술술 되는 거 있지?

지금 허위 광고를 하고 있는 것 같은데?

여보세요? 여기 허위 광고하는 사람이 있어요.

3 주

 일 **가계와 기업이 하는 일**

 기업은 무엇을 얻으려 할까?

도대체 왜 이런 행동을 한 거야?

우리 아버지는 타임 폴리스의 타임머신을 개발하는 일을 하셨지.

아버지는 열심히 일하셔서 소득을 얻어 너를 키우고 **가계**를 꾸려나가셨는데! 너는 나쁜 짓이나 하고 말이야!

끝까지 좀 들어봐!

오랜 연구 끝에 아버지는 간단하고 빠른 타임머신을 개발하셨지만,

드디어 초소형 타임머신을 개발했다!

이 타임머신은 우리 회사에서 생산할 수 없네.

기업은 **이윤**을 얻어야 운영이 되는 거잖소? 이건 만들려면 제작비가 너무 비싸.

이런……

그렇게 아버지는 회사를 나와서 혼자 타임머신을 만들게 되었지.

용어 체크

가계

가정 살림을 같이하는 생활 공동체로, 기업의 생산 활동에 참여하고 기업에서 만든 물건을 구입함.

예 기업과 [①]는 시장에서 물건과 서비스를 거래한다.

이윤

물건이나 서비스를 생산·판매해 얻게 되는 순수한 이익

예 기업은 물건을 만들어 팔아 [②]을 얻으려 한다.

정답 ① 가계 ② 이윤

정답 ❶ 합리적인 선택

어떤 선택을 해야 할까?

용어 체크

○ 합리적인 선택

품질, 디자인, 가격 등을 고려해 가장 적은 비용으로 큰 만족감을 얻을 수 있도록 선택하는 것

예 여러 가지 선택 기준을 고려해 ❶ ⬚ 을 할 수 있다.

1 가계와 기업이 하는 일은 무엇일까?

물건을 생산해 판매하거나 서비스를 제공해 **이윤**을 얻음.

생산 활동의 대가로 **소득**을 얻음.

소득으로 필요한 물건을 구입함.

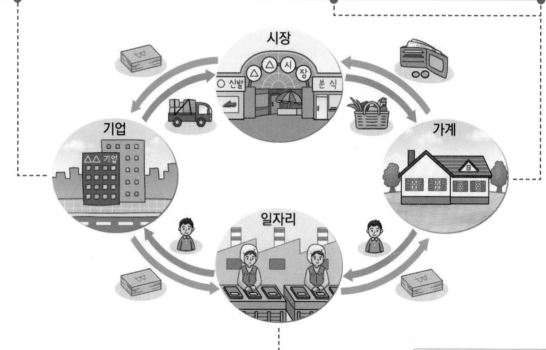

가계와 기업이 하는 일은 서로에게 도움이 돼.

기업은 일자리를 제공하고, 가계는 기업의 생산 활동에 참여함.

☑ 가계는 기업의 생산 활동에 참여하고 기업에서 만든 물건을 구입하며, ❶ (기업 / 정부)은/는 일자리를 제공하고 물건을 만들어 팝니다.

2 가계의 합리적 선택 방법은 무엇일까?

현준이네 가족의 합리적인 소비

아빠 : 텔레비전이 고장이 나서 사야 할 것 같아요.

엄마 : 그럼 좋은 텔레비전을 사려면 어떤 점을 고려해야 할지 선택 기준을 세우는 게 좋겠어요.

현준 : 선택 기준에 따라 여러 물건을 비교하고 평가해서 가장 좋은 것을 골라요.

합리적인 선택이란 품질, 디자인, 가격 등을 고려해 **가장 적은 비용으로 큰 만족감을 얻을 수 있도록** 선택하는 것을 말합니다. 하지만 상표, 품질, 디자인 등을 고려해 가격이 비싸더라도 우수한 물건을 선택하는 경우도 있습니다.

☑ 소득의 범위 안에서 ❷ (큰 / **적은**) 비용으로 가장 큰 만족을 얻도록 선택하는 것입니다.

정답 ❶ 기업 ❷ 적은

🐻 개념 체크

정답과 풀이 9쪽

1 기업의 생산 활동에 참여하는 것은 [ ][ ]입니다.

2 기업은 시장에 물건을 공급하고 [ ][ ]을/를 얻습니다.

3 가계는 적은 비용으로 큰 만족을 얻도록 [ ][ ]적인 선택을 해야 합니다.

보기
• 정부   • 가계
• 이윤   • 정보
• 합리   • 충동

[1~2] 다음은 경제 활동을 나타낸 그림입니다.

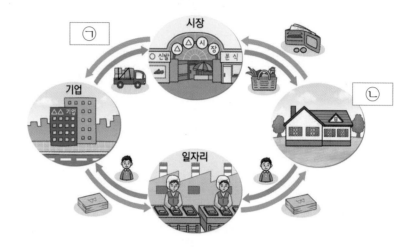

1 위 ㉠에 들어갈 알맞은 그림을 찾아 ○표를 하시오.

2 위 ㉡에 들어갈 알맞은 말은 어느 것입니까? (　　　　)

① 국가　　　　　　② 지역　　　　　　③ 가계

④ 단체　　　　　　⑤ 학교

3 다음 그림을 보고, (　　　) 안의 알맞은 말에 ○표를 하시오.

기업의 생산 활동에 참여하고, 생산 활동의 대가로 (소득 / 물건)을 얻었어요.

4 다음 가계와 기업의 관계에 대해 바르게 말하고 있는 어린이를 쓰시오.

> 선재 : 가계와 기업이 하는 일은 서로에게 도움이 되어요.
> 고은 : 가계는 기업에게 일자리를 제공하지만 얻는 것은 없어요.
> 누리 : 기업은 물건과 서비스를 생산해 시장에 공급하지만 손해를 봐요.

(   )

3
주

집중 연습 문제   합리적인 선택

5 다음 현준이네 가족 중 합리적인 선택을 위한 노력을 하지 <u>않은</u> 사람을 쓰시오.

> 아빠 : 좋은 물건을 사려면 어떤 점을 고려해야 할지 선택 기준을 세워 보아요.
> 현준 : 다른 기준들은 필요 없고 가격을 가장 먼저 보고 선택해야 해요.
> 엄마 : 선택 기준에 따라 여러 물건을 비교해서 골라 보아요.

(   )

> 합리적인 소비를 하려면 다양한 것을 고려해야 해.

6 다음 중 가격을 기준으로 텔레비전을 선택한 사람을 찾아 기호를 쓰시오.

(   )

두 사람이 고려하고 있는 선택 기준이 무엇인지 써 볼까?

• ㉠ ➡ ◯◯ 을 기준으로 선택함.

• ㉡ ➡ ◯◯ 을 기준으로 선택함.

시장에서는 누가 만날까?

미래에는 물건을 사고파는 📍시장도 멋있네? 근데 정말 물건값이 비싸다.

시장은 기업과 가계가 만나 다양한 거래가 자연스럽게 일어나는 곳인데, 엉망으로 만들어 놨구만!

오늘 여러 기업의 회장님들이 여기 모여서 점심을 먹는다는 사실을 알고 있거든!

이것만 있으면 다시 원상태로 되돌릴 수 있어.

너희들이 여기서 기다리고 있으면 올라가서 해결하고 올게.

널 어떻게 믿고 혼자 보내?

경찰이 당연히 시민을 믿어 줘야지!

하지만 넌 도둑이잖아.

듣고 보니 그렇네. 그럼 같이 올라가자.

🔍 용어 체크

📍 **시장**

물건을 사고파는 곳으로, 전통 시장, 대형 할인점, 텔레비전 홈 쇼핑, 인터넷 쇼핑 등 다양한 형태가 있음.

예 사람들은 물건을 사러 [①   ] 에 간다.

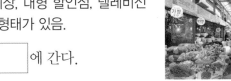

▲ 전통 시장

▲ 대형 할인점

정답 ❶ 시장

1 기업의 합리적 선택 방법은 무엇일까? 예 필통 회사

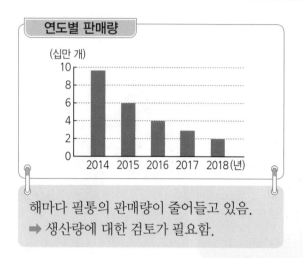

연도별 판매량

해마다 필통의 판매량이 줄어들고 있음.
➡ 생산량에 대한 검토가 필요함.

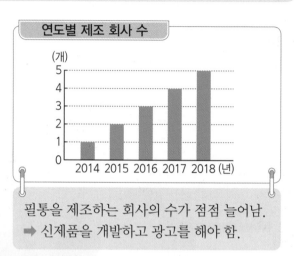

연도별 제조 회사 수

필통을 제조하는 회사의 수가 점점 늘어남.
➡ 신제품을 개발하고 광고를 해야 함.

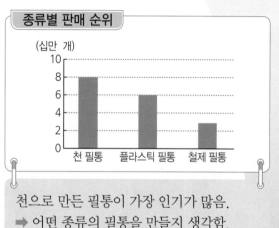

종류별 판매 순위

천으로 만든 필통이 가장 인기가 많음.
➡ 어떤 종류의 필통을 만들지 생각함.

회사별 가격과 생산 비용

구분	가 회사	나 회사	다 회사
가격(원)	2,200	2,300	2,400
생산 비용(원)	1,500		

회사별 가격이 모두 다름.
➡ 필통의 적정 가격을 고민해야 함.

회사는 물건을 생산할 때 생산 품목, 생산량, 생산 비용, 홍보 방법 등을 생각해야 해.

• 소비자가 어떤 물건을 좋아하는지 분석해서 물건을 많이 팔 수 있는 방법을 생각함.
• 보다 많은 이윤을 얻기 위해 적은 비용으로 많은 수입을 얻을 수 있도록 **합리적 선택**을 함.

☑ 기업은 적은 비용으로 ^①(적은 / 많은) 이윤을 남길 수 있도록 **합리적 선택**을 합니다.

2 가계와 기업이 만나는 시장은 어떤 곳일까?

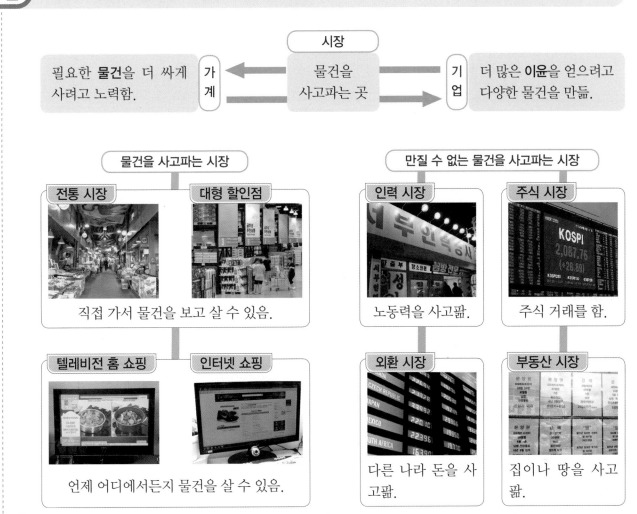

시장은 물건을 사고파는 곳으로, 가계와 ❷ (기업 / 정부)은/는 다양한 형태의 시장에서 만나고 있습니다.

정답 ❶ 많은 ❷ 기업

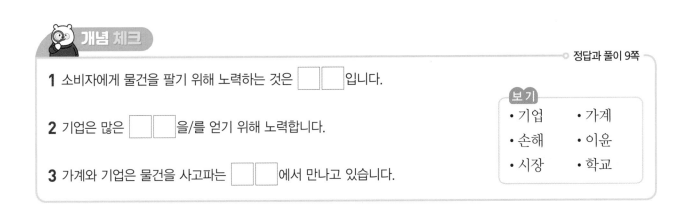

개념 체크

◇ 정답과 풀이 9쪽

1 소비자에게 물건을 팔기 위해 노력하는 것은 ☐☐ 입니다.

2 기업은 많은 ☐☐ 을/를 얻기 위해 노력합니다.

3 가계와 기업은 물건을 사고파는 ☐☐ 에서 만나고 있습니다.

보기
• 기업   • 가계
• 손해   • 이윤
• 시장   • 학교

1 다음 기업에 대한 내용에서 □ 안에 들어갈 수 있는 말을 한 가지만 쓰시오.

> 기업은 물건을 생산할 때 생산량, 홍보 방법, 생산 □ 등을 고려해야 합니다.

(   )

2 다음 그래프는 회사에서 필통을 생산하기 전에 참고한 내용입니다. 그래프의 제목으로 알맞은 것은 어느 것입니까? (   )

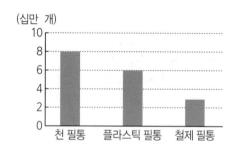

① 연도별 판매량
② 종류별 홍보 비용
③ 종류별 판매 순위
④ 연도별 이윤 금액
⑤ 연도별 제조 회사 수

3 다음 ○✕ 퀴즈의 정답을 알맞게 적은 어린이를 쓰시오.

> **기업의 합리적 선택에 대한 ○✕ 퀴즈**
> (1) 적은 비용으로 많은 수입을 얻기 위한 선택을 합니다.
> (2) 많이 팔릴 물건을 만들기 위해 생산 비용을 생각하지 않아도 됩니다.

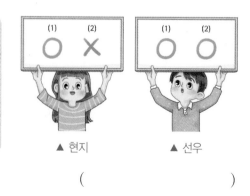

▲ 현지   ▲ 선우

(   )

4 다음과 같이 물건을 사고파는 모습을 볼 수 있는 장소는 어디입니까? (   )

① 학교   ② 구청   ③ 시장

④ 공원   ⑤ 회사

5 시장에 대한 설명으로 알맞지 <u>않은</u> 것은 어느 것입니까? (   )

① 물건을 사고파는 곳이다.

② 가계와 기업이 만나는 곳이다.

③ 전통 시장, 대형 할인점 등이 있다.

④ 시장에서는 물건만 거래하는 것은 아니다.

⑤ 인터넷 쇼핑, 텔레비전 홈 쇼핑 등은 시장으로 볼 수 없다.

똑똑한 하루 퀴즈

6 다음에서 설명하는 낱말을 말 상자에서 찾아 모두 ○표를 하세요. 말 상자의 낱말은 가로, 세로, 대각선에 숨어 있어요.

★	합	준	★
가	리	이	윤
시	누	에	리
캐	장	기	★
티	★	업	무

❶ 기업은 □□적인 선택을 해야 이윤을 극대화할 수 있음.

❷ 기업은 적은 비용으로 많은 □□을 남기고자 함.

❸ 전통 □□에서는 물건을 직접 보고 살 수 있음.

❹ 시장에서는 가계와 □□이 만남.

3_일 우리나라 경제의 특징

정답 ❶ 경제 활동의 자유

경제 활동을 하는 것이 자유라고?

용어 체크

◎ 경제 활동의 자유

개인은 직업 활동의 자유, 직업 선택의 자유, 소득을 자유롭게 사용할 자유 등이 있고, 기업은 무엇을 생산하고 판매할지 정할 자유가 있음.

예 우리나라에서는 개인과 기업들이 [   ]를 누리고 있다.

정답 ❶ 경제 활동의 자유

? 기업 간에 경쟁이 필요할까?

용어 체크

경제 활동의 경쟁

개인은 더 좋은 일자리를 얻으려고 경쟁하기도 하고, 기업은 보다 더 많은 이윤을 얻으려고 다른 기업과 경쟁하기도 함.

예 기업은 [❶   ]이 있기 때문에 더 좋은 서비스를 제공하려고 노력한다.

정답 ❶ 경제 활동의 경쟁

1 우리나라 경제의 특징에는 무엇이 있을까?

경제 활동의 자유

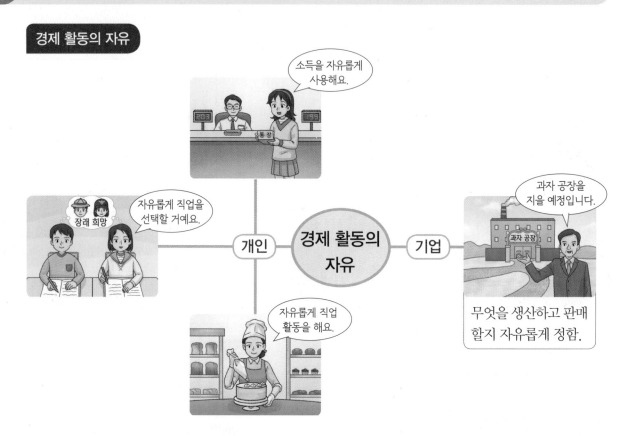

소득을 자유롭게 사용해요.

자유롭게 직업을 선택할 거예요.

장래 희망

개인

경제 활동의 자유

기업

과자 공장을 지을 예정입니다.

과자 공장

무엇을 생산하고 판매 할지 자유롭게 정함.

자유롭게 직업 활동을 해요.

경제 활동의 경쟁

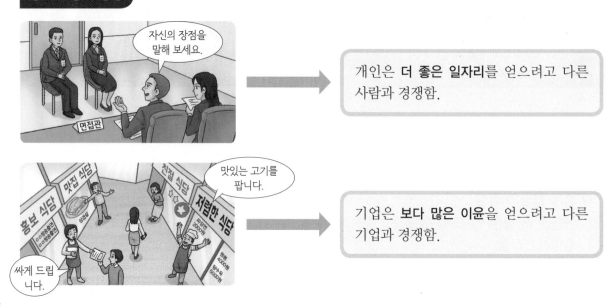

자신의 장점을 말해 보세요.

면접관

개인은 **더 좋은 일자리**를 얻으려고 다른 사람과 경쟁함.

맛있는 고기를 팝니다.

기업은 **보다 많은 이윤**을 얻으려고 다른 기업과 경쟁함.

싸게 드립 니다.

✓ 개인과 기업들이 경제 활동의 자유를 누리면서 자신의 이익을 얻으려고 ❶ (경쟁 / 비난)합니다.

2 경제 활동의 자유와 경쟁이 우리 생활에 주는 도움은 무엇일까?

내가 하고 싶은 일을 하면서 더 즐겁게 일할 수 있어요.

재능과 능력을 더 잘 발휘함.

고객님께서 찾으시는 텔레비전입니다.

원하는 조건의 물건을 삼.

무료로 배달해 드리겠습니다.

좋은 서비스를 받을 수 있음.

기술을 개발해 더 우수한 품질의 물건을 사용할 수 있음.

기업은 경쟁하며 더 많은 이윤을 얻고, 소비자는 상품 품질이 좋아져서 만족하지.

국가와 기업의 자유로운 경쟁은 국가 전체의 경제 발전에도 도움을 주네.

☑ 경제 활동의 자유와 경쟁을 통해 ❷(개인 / 국가)은/는 능력을 발휘하며, 소비자는 원하는 품질의 제품을 구입할 수 있고, 기업은 경쟁력을 확보하고자 하는 노력을 합니다.

정답 ❶ 경쟁 ❷ 개인

개념 체크

◦ 정답과 풀이 10쪽

1 개인과 기업은 경제 활동의 ☐☐을/를 누리고 있습니다.

2 개인은 자유롭게 ☐☐을/를 선택할 자유가 있습니다.

3 기업은 자유롭게 ☐☐하며 더 좋은 상품을 개발합니다.

보기
• 자유   • 제한
• 직업   • 범죄
• 분쟁   • 경쟁

1 다음 보기에서 우리나라 경제의 특징으로 알맞은 것을 모두 찾아 기호를 쓰시오.

보기

㉠ 경제 활동의 자유가 있습니다.
㉡ 경제 활동을 할 때 경쟁을 합니다.
㉢ 개인의 경제 활동이 금지되어 있습니다.
㉣ 국가가 경제 활동의 모든 부분을 간섭합니다.

(　　　 ,　　　)

2 다음 그림에 해당하는 경제 활동의 자유는 어느 것입니까? (　　　)

① 여가 활동의 자유
② 소비 활동의 자유
③ 직업 선택의 자유
④ 저축 활동의 자유
⑤ 생산 활동의 자유

3 다음 그림을 보고 바르게 말하지 <u>않은</u> 어린이를 쓰시오.

우현 : 사람들은 좋은 일자리를 얻기 위해 노력해요.
로미 : 사람들이 더 좋은 일자리를 얻으려고 서로 면접을 통해 경쟁하고 있어요.
정규 : 좋은 일자리가 충분히 많기 때문에 누구나 원하는 일자리를 얻을 수 있어요.

(　　　　　　　)

4 식당 주인들이 다음 그림과 같은 노력을 하는 까닭은 어느 것입니까? (   )

① 이윤을 얻기 위해서

② 경쟁하는 것이 싫어서

③ 생산 활동을 할 수 없어서

④ 직업 활동의 자유가 없어서

⑤ 손님이 너무 많이 오면 힘들 어서

3주

🐻 집중 **연습 문제** **자유와 경쟁의 좋은 점**

5 다음 그림을 보고, (   ) 안의 알맞은 말에 ○표를 하시오.

위 그림은 기업이 더 좋은 상품을 개발하고, 더 좋은 서비스를 제공하려고 (경쟁 / 싸움)하는 모습입니다.

자유롭게 경쟁하는 경제 활동은 우리 생활에 도움이 된다고!

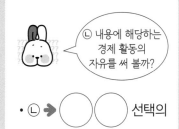

ⓛ 내용에 해당하는 경제 활동의 자유를 써 볼까?

• ⓛ ➡ ○○ 선택의 자유

6 다음 그림과 같이 일할 수 있는 까닭으로 알맞은 것을 보기에서 찾아 기호를 쓰시오.

내가 하고 싶은 일을 하면서 더 즐겁게 일할 수 있어요.

보기

㉠ 일을 할 때 꼭 경쟁해야 해서

㉡ 원하는 일을 할 자유가 있어서

㉢ 얻은 소득을 정해진 곳에만 써야 해서

(   )

 어떤 경제 활동이 바람직할까?

용어 체크

경제 활동

사람들이 살아가는 데 필요한 물건과 생활에 편리함을 주는 서비스를 생산, 분배, 소비하는 모든 활동

예 가계와 기업은 ❶ [   ] 의 주요 주체이다.

정답 ❶ 경제 활동

불공정한 경제 활동을 바로잡자!

용어 체크

♀ 공정 거래 위원회

독점 및 불공정 거래에 관한 사안을 심사하고 토론하며, 의논하여 결정하기 위해 설립된 정부 기관

예 운동 경기에 경기 규칙과 심판이 존재하듯이 경제 활동에도 ❶ [   ]가 존재한다.

♀ 과장 광고

상품이나 서비스에 대한 정보를 사실보다 부풀려 소비자에게 알리는 의도적인 활동

예 기업이 ❷ [   ]를 하면 법으로 처벌할 수 있다.

정답 ❶ 공정 거래 위원회 ❷ 과장 광고

1 공정하지 못한 경제 활동은 무엇이 있을까?

문제 확인하기

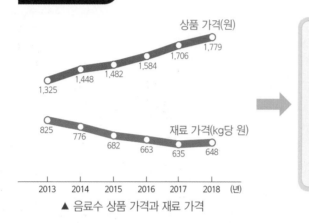

상품 가격(원)
1,779
1,706
1,584
1,482
1,448
1,325

재료 가격(kg당 원)
825
776
682
663
635
648

2013 2014 2015 2016 2017 2018 (년)

▲ 음료수 상품 가격과 재료 가격

음료수 재료 가격은 내리는데 상품 가격은 오르고 있음.
문제 1. 가격이 너무 비싸서 좋아하는 음료수를 사 먹지 못함.
문제 2. 좋아하는 음료수를 사 먹으려고 더 많은 돈을 내야 함.
문제 3. 특정 음료수 회사만 많은 이익을 봄.

관련 정보는 인터넷, 신문 자료, 관련 뉴스 등에서 찾아볼 수 있어.

정보를 수집하여 원인 파악하기

우리 세 회사에서만 음료수를 생산하니 가격을 올리도록 합시다.

기업들이 공정하지 않은 행동을 하면 **소비자에게 피해**를 줄 수 있음.

해결 대안 제시하기

• 가격이 합리적인 다른 음료수를 사 먹음.
• 음료수 가격을 마음대로 올릴 수 없도록 법을 만듦.
• 음료수 가격을 올리는 것에 반대하는 의견을 음료수 회사 누리집에 올림.

☑ 인기 있는 물건을 만드는 **회사의 수가** ❶(많은 / 적은) 경우, 회사끼리 가격을 마음대로 정하거나 **올릴 수 있습니다.**

2 공정하지 못한 경제 활동을 바로잡으려는 정부와 시민 단체의 노력에는 무엇이 있을까?

기업끼리 가격을 상의해 올릴 수 없도록 감시함.

허위·과장 광고를 못하도록 감시함.

특정 기업만 물건을 만들어 가격을 올리지 못하도록 함.

많은 회사가 제품을 만들어 팔 수 있도록 지원함.

공정 거래 위원회는 경제 활동을 하는 데 심판과 같은 역할을 해.

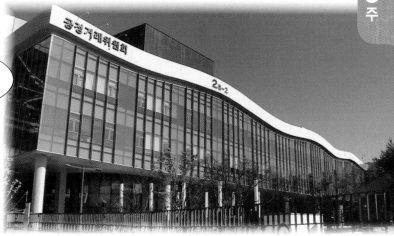

정부는 기업이 공정한 ❷(경쟁 / 다툼)을 할 수 있도록 감시하고, 시민 단체는 기업이 공정한 경제 활동을 하도록 감시합니다.

정답 ❶ 적은 ❷ 경쟁

개념 체크

◇ 정답과 풀이 10쪽

1 음료수 재료 가격이 내리면 상품 가격이 ☐☐☐ 합니다.

2 기업들이 공정하지 않은 행동을 하면 ☐☐☐에게 피해를 줍니다.

3 허위·과장 광고를 하지 못하도록 감시하는 ☐☐ 거래 위원회가 있습니다.

보기
• 내려야   • 올라야
• 생산자   • 소비자
• 공정   • 경쟁

1 다음 그래프에 나타난 현상을 바르게 말한 어린이는 누구인지 쓰시오.

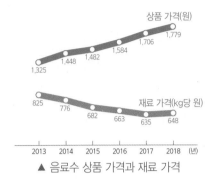

상품 가격(원)
1,325 1,448 1,482 1,584 1,706 1,779

재료 가격(kg당 원)
825 776 682 663 635 648

2013 2014 2015 2016 2017 2018 (년)
▲ 음료수 상품 가격과 재료 가격

> 진수 : 음료수의 재료 가격이 올라서 상품 가격도 오르고 있어요.
> 나정 : 음료수의 재료 가격이 내려서 상품 가격도 내리고 있어요.
> 도하 : 음료수의 재료 가격은 내리는데 상품 가격은 오르고 있어요.

(   )

2 다음 ○× 퀴즈의 정답을 알맞게 적은 어린이를 쓰시오.

> **공정하지 못한 경쟁에 대한 ○× 퀴즈**
> (1) 음료수를 만드는 회사가 적으면 음료수 가격이 떨어집니다.
> (2) 음료수의 가격을 회사가 마음대로 정하면 음료수 가격이 올라갑니다.

(1) × (2) ×
▲ 미나

(1) × (2) ○
▲ 선우

(   )

3 다음 중 기업끼리 불공정하게 거래하는 것을 감시하는 곳은 어디입니까? (   )

① 학교   ② 시장   ③ 보건소

④ 우체국   ⑤ 시민 단체

4 다음 음료수에 대한 친구들의 이야기를 읽고, (　　) 안의 알맞은 말에 ○표를 하시오.

> 　다음은 음료수를 좀 더 (합리적인 / 비싼) 가격으로 사 먹을 수 있는 다양한 방법에 대한 이야기입니다.
>
> 주현 : 음료수 가격을 마음대로 올릴 수 없도록 법을 만들면 좋을 것 같습니다.
>
> 예준 : 음료수 가격을 올리는 것에 반대하는 의견을 음료수 회사 누리집에 올리면 좋을 것 같습니다.

5 다음 사진의 기관이 하는 일은 어느 것입니까? (　　　)

▲ 공정 거래 위원회

① 기술을 개발한다.

② 좋은 상품을 만든다.

③ 시장에서 상품을 산다.

④ 상품 가격을 마음대로 올린다.

⑤ 과장 광고를 하지 못하도록 감시한다.

똑똑한 **하루 퀴즈**

6 다음 힌트를 읽고, 어떤 기관에 대한 설명인지 쓰세요.

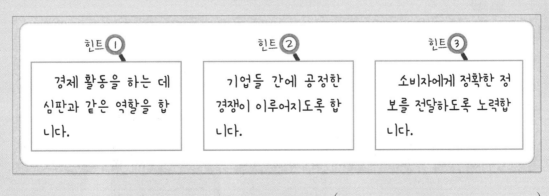

힌트 ① 경제 활동을 하는 데 심판과 같은 역할을 합니다.

힌트 ② 기업들 간에 공정한 경쟁이 이루어지도록 합니다.

힌트 ③ 소비자에게 정확한 정보를 전달하도록 노력합니다.

(　　　　　　　　　　　)

1 가계와 기업

① 가계와 기업이 하는 일

가계와 기업은 다양한 경제 활동을 하고 있구나.

가계	• 기업의 생산 활동에 참여하고, 생산 활동의 대가로 소득을 얻음.
	• 소득으로 기업에서 생산한 물건과 서비스를 구입함.
기업	• 가계에 일자리를 제공하고, 물건과 서비스를 생산함.
	• 물건을 생산해 판매하거나 서비스를 제공해 이윤을 얻음.

② 가계와 기업의 합리적 선택

가계	품질, 디자인, 가격 등을 고려해 가장 적은 비용으로 큰 만족감을 얻을 수 있도록 선택하는 것
기업	보다 많은 이윤을 얻기 위해 적은 비용으로 많은 수입을 얻을 수 있도록 선택하는 것

2 시장

우리 주변에는 만질 수 없는 물건을 사고파는 시장도 있지.

① 뜻 : 물건을 사고파는 곳입니다.

② 종류

전통 시장	대형 할인점	텔레비전 홈 쇼핑	인터넷 쇼핑

3 우리나라 경제의 특징

① 경제 활동의 자유와 경쟁

경제 활동에서
자유와 경쟁이
제일 중요하지!

구분	경제 활동의 자유	경제 활동의 경쟁
개인	직업 활동의 자유, 직업 선택의 자유, 소득을 자유롭게 사용할 자유	더 좋은 일자리를 얻으려고 다른 사람과 경쟁하기도 함.
기업	생산 활동의 자유	보다 더 많은 이윤을 얻으려고 다른 기업과 경쟁하기도 함.

② 공정하지 못한 경제 활동을 바로잡으려는 노력

기업끼리 가격을 상의해 올릴 수 없도록 감시함.

허위·과장 광고를 하지 못하도록 감시함.

특정 기업만 물건을 만들어 가격을 올리지 못하도록 감시함.

2○○○. ○○. ○○.

불공정 행위를 한 음료 업체 적발

음료 가격이
내리길 기대하고
있어!

　작년 초부터 주스와 콜라, 사이다 등 각종 음료 가격이 일제히 오른 것은 음료 업체들의 담합에 의한 것으로 드러났습니다.

　공정 거래 위원회는 공동으로 제품 가격을 인상한 5개 음료 업체를 적발하고, 과징금을 부과했다고 밝혔습니다. 공정 거래 위원회에 따르면 이들 업체는 작년부터 사장단이나 고위 임원들의 모임 또는 연락을 통해 가격 인상의 방향과 방법을 결정했습니다.

　공정 거래 위원회는 "이번 시정 조치로 음료 제품의 가격 안정을 기대하고 있다."고 했습니다.

1일 **가계와 기업이 하는 일**

1 다음 경제 활동에 대한 내용을 읽고, ( ) 안의 알맞은 말에 ○표를 하시오.

> • 생산 활동에 참여한 대가로 소득을 얻습니다.
> • 시장에서 생활에 필요한 물건과 서비스를 삽니다.

> 위와 같이 경제 활동을 하는 것은 (기업 / 가계)입니다.

2 다음 그림을 보고, 알맞게 말한 어린이는 누구인지 쓰시오.

> 재민 : 가계는 시장에 물건을 공급하는 역할을 해요.
> 은수 : 가계와 기업이 하는 일은 서로에게 도움이 되어요.
> 희나 : 기업은 생산 활동에 참여한 대가로 소득을 얻어요.

(   )

3 다음과 같이 텔레비전을 선택한 사람의 선택 기준은 어느 것입니까? (   )

① 가격
② 기능
③ 서비스
④ 디자인
⑤ 화면 크기

2일 기업의 합리적 선택과 시장

4 다음 중 기업의 합리적 선택 방법은 어느 것입니까? (   )

① 적은 비용으로 많은 수입을 얻는 방법

② 많은 비용으로 많은 수입을 얻는 방법

③ 적은 비용으로 적은 수입을 얻는 방법

④ 많은 비용으로 적은 수입을 얻는 방법

⑤ 적은 비용으로 수입을 얻지 못하는 방법

5 다음 중 시장의 종류로 알맞지 <u>않은</u> 것은 어느 것입니까? (   )

① 식품 공장   ② 전통 시장   ③ 인터넷 쇼핑

④ 대형 할인점   ⑤ 텔레비전 홈 쇼핑

서술형

6 다음 사진의 다양한 시장의 공통점을 쓰시오.

▲ 부동산 시장

▲ 주식 시장

▲ 외환 시장

3일 우리나라 경제의 특징

7 다음 가게들의 모습을 보고, ( ) 안의 알맞은 말에 ◯표를 하시오.

왼쪽 가게들은 보다 더 많은 이윤을 얻으려고 (경쟁 / 배려)하고 있습니다.

8 우리나라 경제 체제에 대한 설명에서 ☐ 안에 들어갈 말은 어느 것입니까? ( )

우리나라 경제의 특징은 ☐ 입니다.

① 사랑과 믿음
② 자유와 경쟁
③ 자유와 평등
④ 비난과 경쟁
⑤ 배려와 믿음

9 경제 활동의 자유와 경쟁이 우리에게 주는 영향을 바르게 말한 어린이를 쓰시오.

자신의 재능을 발휘하기에는 제약이 많아요.

▲ 선후

보다 좋은 서비스를 받을 수 있어요.

▲ 지민

원하는 조건의 물건을 찾기가 어려워요.

▲ 윤나

( )

4일 **바람직한 경제 활동**

10 다음 그래프와 같은 일이 일어날 때 우리가 할 수 있는 일을 바르게 말한 어린이를 쓰시오.

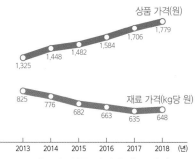

▲ 음료수 상품 가격과 재료 가격

조은 : 가격을 올리는 음료수 회사를 혼내 줘요.
태영 : 합리적 가격의 다른 음료수를 사 먹어요.
현중 : 적은 수의 회사에서만 음료수를 만들 수
있도록 법으로 정해요.

(   )

11 공정하지 못한 경제 활동을 바로잡으려고 정부가 하는 노력은 어느 것입니까? (   )

① 공정 거래 위원회를 만든다.
② 기업이 허위 광고를 하도록 한다.
③ 기업끼리 상의해서 가격을 올리게 한다.
④ 기업이 자유로운 경쟁을 하지 못하도록 막는다.
⑤ 한 회사에서만 제품을 만들 수 있도록 도와준다.

 **똑똑한 하루 퀴즈**

12 다음 가로 열쇠와 세로 열쇠를 참고하여 십자말풀이를 완성하세요.

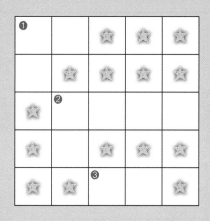

가로 열쇠
① 가정 살림을 같이하는 생활 공동체
② 사람들이 살아가는 데 필요한 물건과 편리함을 주는
서비스를 생산, 소비하는 것과 관련된 모든 활동
③ 가계와 기업이 만나 물건을 사고파는 곳

세로 열쇠
① 물건이 지닌 가치를 돈으로 나타낸 것
② 기업은 이윤을 더 얻으려고 다른 기업과 ○○한다.

1 다음 기업과 가계가 하는 일을 바르게 줄로 이으시오.

(1) 기업 •
(2) 가계 •

• ㉠ 소득을 얻음.
• ㉡ 서비스를 제공함.
• ㉢ 물건을 생산함.
• ㉣ 물건을 구입함.

2 다음 그림을 보고, 바르게 말한 어린이를 두 명 고르시오. (　 , 　)

① 재윤 : 기업은 시장에서 물건을 사요.
② 효승 : 기업과 가계는 시장에서 만나요.
③ 민영 : 가계 구성원은 기업에서 일해요.
④ 나경 : 가계는 시장에 물건을 공급해요.
⑤ 희철 : 기업은 물건을 팔아도 이윤을 얻지 못해요.

3 다음 중 합리적인 소비를 하고 있는 사람을 찾아 기호를 쓰시오.

㉠ 같은 조건이면 더 비싼 것을 사야지.
㉡ 무상 관리 서비스를 오래 받을 수 있는 것을 사야지.

(　　　　　　　　　　)

4 다음에서 설명하는 말은 어느 것입니까?

(　　　)

• 물건을 사고파는 곳입니다.
• 대형 할인점, 인터넷 쇼핑도 포함됩니다.

① 학교　　② 시장　　③ 회사
④ 아파트　　⑤ 공공 기관

5 부동산 시장에서 거래하는 것은 어느 것입니까? (　　　)

① 땅　　② 주식　　③ 음식
④ 노동력　　⑤ 다른 나라의 돈

6 다음 경제 활동과 관련된 그림을 보고, ( ) 안의 알맞은 말에 ○표를 하시오.

위와 같이 사람들은 경제 활동을 할 때 (경쟁 / 자유)을/를 누리고 있습니다.

7 다음과 같은 경제 활동을 할 수 있는 까닭으로 알맞은 것은 어느 것입니까? ( )

① 나라에서 직업을 정해 줘서
② 직업 활동에 제약이 있어서
③ 경제 활동을 할 때 경쟁을 못해서
④ 얻을 수 있는 소득이 정해져 있어서
⑤ 경제 활동을 자유롭게 할 수 있어서

8 다음 그래프를 보고, ( ) 안의 알맞은 말에 ○표를 하시오.

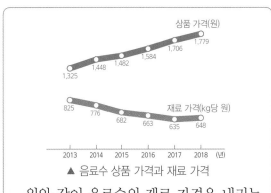

▲ 음료수 상품 가격과 재료 가격

위와 같이 음료수의 재료 가격은 내리는데 상품 가격은 오르면 (기업 / 소비자) 이/가 피해를 보게 됩니다.

9 다음 보기 에서 불공정한 경제 행위를 한 회사를 찾아 기호를 쓰시오.

보기
㉠ 기술 개발을 위해 노력한 회사
㉡ 과장 광고와 허위 광고를 한 회사
㉢ 재료의 가격이 내려서 상품의 가격을 내린 회사

( )

10 다음에서 설명하는 기관은 어디입니까?

( )

• 경제 활동을 하는 데 심판과 같은 역할을 합니다.
• 공정한 경쟁이 이루어지도록 노력합니다.

① 국회
② 보건소
③ 헌법 재판소
④ 국가 인권 위원회
⑤ 공정 거래 위원회

3주특강

생활 속 사회

가치 소비에 대한 사례를 읽어 보고, 퀴즈를 풀어 봅니다.

1 오늘날 사람들의 합리적인 소비 방법인 가치 소비에 대한 내용이에요.

청개구리가 새겨진 열대 우림 연맹(RFA) 인증 제품들은 친환경 농법을 실천하는 농장에서 안정적 삶을 보장받는 노동자들이 키워 낸 것으로 환경과 인권 보호의 의미를 담고 있습니다.

RFA 인증 상품

(1) 다음 중 위와 같이 가치 소비를 할 수 있는 상품은 어느 것인지 찾아 기호를 쓰세요.

▲ 일회용 컵에 담긴 음료수

▲ 공정 무역 초콜릿

▲ 포장지가 여러 겹인 과자

(　　　　　　　　　)

(2) 위 내용을 읽고, 가치 소비에 대해 바르게 말한 어린이는 누구인지 쓰세요.

자신이 추구 하는 가치를 지키면서 합리적 으로 소비하는 거야.

▲ 지언

무조건 다른 물건보다 비싼 물건을 사는 거야.

▲ 명운

저렴한 물건 보다 인기 있는 물건을 선택 하는 거야.

▲ 나희

(　　　　　　　　　)

시장과 관련 있는 만화를 보고, 시장의 종류에 대해 알아봅니다.

2 다음은 다양한 시장에 대해 대화를 나누고 있는 모습이에요.

(1) 지우가 글자 카드를 이용해서 다음 문장을 완성하려고 합니다. 글자 카드들 속에서
  □ 안에 들어갈 알맞은 말을 찾아 쓰세요.

> 시장은 사려고 하는 사람과 팔려고 하는 사람이 주로 □을 주고받으며 거래하는 곳입니다.

(   )

(2) 지우의 마지막 말에서 밑줄 친 부분에 들어갈 시장을 한 가지만 쓰세요.

(   )

창의·융합·코딩

사고 쑥쑥

바람직하지 못한 경제 활동을 해결하기 위해 노력하는 주체를 찾아봅니다.

3 다음은 바람직하지 못한 경제 활동에 관한 내용이에요.

(1) 다음은 지나친 경쟁으로 발생할 수 있는 문제점을 노트에 정리한 것입니다. 잘못 정리한 것을 찾아 기호를 쓰세요.

(   )

(2) 위 (1)번 그림과 같은 문제를 해결하기 위해 다음과 같은 노력을 하는 경제 주체를 찾아 ○표를 하세요.

▲ 기업끼리 가격을 상의해 올릴 수 없도록 감시함.

▲ 많은 회사가 제품을 만들어 팔 수 있도록 지원함.

| ·정부 | ·학교 | ·가계 | ·백화점 |

4 역사 도둑이 타임폴리스의 타임머신을 훔쳐서 사물함에 넣어 놨어요. 타임폴리스가 타임머신을 되찾을 수 있도록 비밀번호를 찾아 완성하세요.

비밀번호 힌트

- 사물함을 열고 싶다면 '우리나라 경제의 특징'에 대해 알맞게 설명한 내용이 적힌 번호를 순서대로 누릅니다.
- 비밀번호는 세 자리 숫자입니다.

0 우리나라 경제의 특징은 자유와 경쟁이다.

1 합리적인 선택이란 큰 비용으로 적은 만족감을 얻을 수 있도록 선택하는 것이다.

4 기업은 일자리를 제공하고 가계는 기업의 생산 활동에 참여한다.

7 개인과 기업의 자유로운 경쟁은 국가 전체의 경제 발전에 도움을 준다.

8 만질 수 없는 물건을 사고파는 시장은 없다.

9 아버지가 기업에서 일하는 것은 소비 활동이다.

비밀번호 〇 〇 〇

3주 특강

논리 탄탄

경제 활동에 대한 질문을 보고, 도착까지 가는 길을 완성해 봅니다.

5 질문에 알맞은 대답을 찾아 화살표로 가는 길을 표시해 보세요.

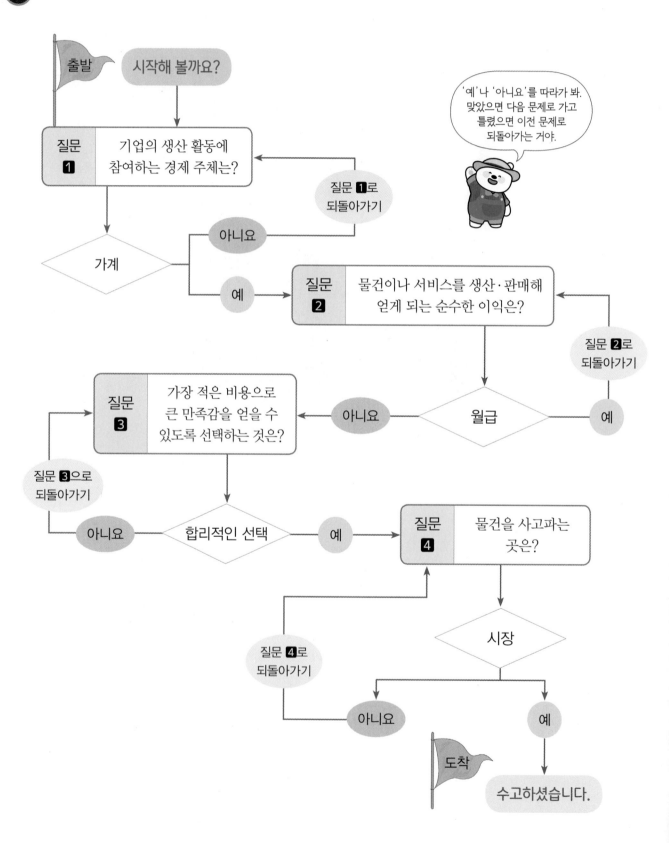

출발 — 시작해 볼까요?

'예'나 '아니요'를 따라가 봐. 맞았으면 다음 문제로 가고 틀렸으면 이전 문제로 되돌아가는 거야.

질문 1 기업의 생산 활동에 참여하는 경제 주체는?

질문 1로 되돌아가기

가계 — 아니요

예 — **질문 2** 물건이나 서비스를 생산·판매해 얻게 되는 순수한 이익은?

질문 2로 되돌아가기

질문 3 가장 적은 비용으로 큰 만족감을 얻을 수 있도록 선택하는 것은?

아니요 — 월급 — 예

질문 3으로 되돌아가기

아니요 — 합리적인 선택 — 예 — **질문 4** 물건을 사고파는 곳은?

질문 4로 되돌아가기

시장

아니요 — 도착

예 — 수고하셨습니다.

우리나라 경제의 특징을 생각하며 암호문을 해독해 봅니다.

6 다음 암호 해독표를 보고, 다음 만화 속 암호문을 풀어 보세요.

암호 해독표

①	②	③	④	⑤	⑥	⑦	⑧	⑨	⑩	⑪	⑫	⑬	⑭
ㄱ	ㄴ	ㄷ	ㄹ	ㅁ	ㅂ	ㅅ	ㅇ	ㅈ	ㅊ	ㅋ	ㅌ	ㅍ	ㅎ

A	B	C	D	E	F	G	H	I	J	K	L	M	N
ㅏ	ㅑ	ㅓ	ㅕ	ㅗ	ㅛ	ㅜ	ㅠ	ㅡ	ㅣ	ㅐ	ㅒ	ㅔ	ㅖ

해독한 암호

우리나라의 경제 성장

이번 주에는 무엇을 공부할까? ❶

하루 종일 서서 손으로 하는 일은 너무 힘들단 말이야!

옛날에는 이렇게 경공업에 종사하는 사람들이 많았는데 무슨 엄살이야!

맞아요. 경공업 제품을 수출해서 경제도 발전했잖아요.

너무 힘들어서 정보 통신 산업이 발달한 시기로 왔어. 근데 이제 머리를 써야 해서 또 힘드네!

이렇게 우리나라 산업이 발전하고 있는 거라고~

나도 다 알거든?

우리나라에 시대별로 다양한 산업이 발달한 게 놀라워요.

맞아, 눈부신 경제 성장을 이루었지.

하지만! 경제 성장 과정에서 많은 문제도 발생했어.

정말요? 얼른 설명해 주세요!

경제가 성장
하면서 우리 생활
모습도 많이
바뀌었어.

▲ 경공업 중 의류 생산

▲ 다른 나라에서 수입한 과일

산업의 발달

수입

사회 변화 — 경제 성장

무역 — 수출

문제점

무역 문제

세계화로
다른 나라와의
경제 교류가 더욱
활발해지고
있어.

▲ 외환 위기 당시의 신문 기사

▲ 무역 문제를 해결하는 세계 무역 기구(WTO)

우리나라는 빠른 속도로 경제 성장을
이루었는데 그에 따른 문제점도 많이
나타났기 때문에 앞으로 해결해야 할
일들을 생각해 보아야 해.

경공업

輕 工 業
가벼울 **경** 장인 **공** 업 **업**

얼른 만들어서 수출해야 돼.

뜻 식료품, 섬유, 종이 등 비교적 가벼운 물건을 만드는 산업

예 우리나라는 1960년대에 **경공업**이 발달하여 수출이 증가했다.

조선 산업

造 船
지을 **조** 배 **선**
產 業
낳을 **산** 업 **업**

기술력을 인정받은 배라고!

뜻 배를 생산하고 판매하는 산업을 통틀어 이르는 말

예 세계에서 기술력을 인정받으면서 **조선 산업**은 우리나라의 수출을 이끄는 산업으로 성장했다.

1970년대에 기업들은 현대화된 대형 조선소를 건설했어.

우리나라가 눈부신 경제 발전을 하기까지는 다양한 산업이 발전했어. 나도 산업 발전에 도움이 될 수 있는 사람이 되고 싶어!

일단 숙제부터 열심히 하는 게 좋을 것 같다.

반도체

半 導 體
반 **반** 이끌 **도** 몸 **체**

뜻 온도에 따라 전기가 잘 통하기도 하고 안 통하기도 하는 물질

예 컴퓨터와 가전제품의 생산이 늘어나면서 핵심 부품인 **반도체**의 중요성도 커졌다.

무역을 할 때에는 수입을 하기도 하고, 수출을 하기도 하지.
수입과 수출을 할 때 생기는 문제점까지 알아 두어야 해.

문화 콘텐츠

사람들에게 즐거움을 준다고!

文 化
글월 문 될 화

뜻 매체를 통하여 제공되는 각종 문화 정보나 그 내용물

예 글, 그림, 영화, 문화재 등을 멀티미디어 기술을 통하여 산업적으로 발전시키는 것을 **문화 콘텐츠**라고 한다.

문화 콘텐츠 산업이 발전하면 사람들에게 즐거움을 줘!

무 역

貿 易
바꿀 무 바꿀 역

뜻 나라 사이에 필요한 물건이나 서비스를 사고파는 일

예 나라마다 잘 생산할 수 있는 물건이나 서비스가 다르기 때문에 **무역**이 일어난다.

4주

수 입

열대 과일을 사 와야지.

輸 入
나를 수 들 입

뜻 무역을 할 때 다른 나라에서 물건을 사 오는 것

예 마트에 가면 다른 나라에서 **수입**한 열대 과일을 쉽게 볼 수 있다.

수 출

높은 기술이 필요한 상품을 팔아야지.

輸 出
나를 수 날 출

뜻 무역을 할 때 다른 나라에 물건을 파는 것

예 다른 나라의 수입 제한으로 우리나라의 **수출**이 감소하기도 한다.

우리나라의 경제 성장 과정

용어 체크

경제 개발 5개년 계획

경제 발전을 하려고 1962년부터 1986년까지 5년 단위로 추진한 경제 계획

예 우리나라는 경제 개발 초기에 정부가 주도적으로 경제 개발 ❶ [   ] 계획을 추진했다.

경공업

식료품, 섬유, 종이 등 비교적 가벼운 물건을 만드는 산업

예 경제 개발 초기에는 ❷ [   ] 제품을 만들어 수출하며 성장했다.

정답 ❶ 5개년 ❷ 경공업

시대마다 다른 산업이 발전했지!

🐼 용어 체크

📍 첨단 산업

기술 집약도가 높고, 관련 산업에 미치는 효과가 큰 산업

예 2000년대 이후부터는 고도의 기술이 필요한 ❶ [   ]이 발달하고 있다.

📍 중화학 공업

철, 배, 자동차 등 무거운 제품이나 플라스틱, 고무 제품, 화학 섬유 제품을 생산하는 산업

예 1973년에 정부는 국가 경제를 발전시키려고 ❷ [   ] 공업 육성 계획을 발표했다.

정답 ❶ 첨단 산업 ❷ 중화학

1일

개념 동영상

경제 개발 5개년 계획을 통해 정부가 주도적으로 경제를 성장시키고자 했어.

1 6·25 전쟁 이후(1960년대) 경제 성장의 모습은 어땠을까?

정유 시설과 발전소 건설
춘천 수력 발전소

정유 시설과 발전소를 건설해 기업이 필요로 하는 에너지를 공급했음.

고속 국도와 항만 건설
경부 고속 국도 개통

기업에서 생산된 상품이 쉽게 운반되고 수출될 수 있도록 했음.

경공업의 발달
가발 생산

기업은 섬유, 신발, 가발, 의류 등과 같은 경공업 제품을 만들어 수출했음.

☑ 정부는 경제 개발 5개년 계획을 세우고 산업 기반 시설을 마련했으며, 기업은 ❶ (경공업 / 중화학 공업) 제품을 만들어 수출했습니다.

2 1970년대 이후 경제 성장 모습은 어땠을까?

조선 산업은 우리나라의 수출을 이끄는 산업으로 성장했어.

1970년대

- 정부는 **중화학 공업 육성**을 위해 높은 기술력을 갖추는 등의 노력을 했음.
- 제품을 만드는 재료가 되는 철강 산업을 빠르게 발전시켰고, 조선 산업이 발전했음.

▲ 철 생산

▲ 해외 주문을 받아 만든 대형 선박

1980년대

- **자동차 산업**이 크게 성장했음.
- 정밀 기계, 기계 부품, 텔레비전 등이 주요 수출품으로 자리 잡았음.

◀ 자동차 수출

☑ 1970년대에는 철강 산업, 조선 산업 등이 발전했고, 1980년대에는 ❷ (자동차 / 정보 통신) 산업이 크게 성장했습니다.

3 1990년대 이후 경제 성장의 모습은 어땠을까?

1990년대	
컴퓨터의 보급 확대	국내 기업들이 **컴퓨터**를 개발하고 생산하기 시작했음.
반도체 산업의 발달	• 컴퓨터와 가전제품의 생산이 늘어나면서 핵심 부품인 반도체의 중요성이 커짐. • 1996년에 반도체 세계 판매량 2위를 달성했음.
정보 통신 산업의 발달	기존 산업들도 정보 통신 기술의 영향으로 더욱 발전함.

정보화 사회의 경제 발전을 위해 전국에 걸쳐 설치했어.

▲ 1990년대 후반 전국에 설치된 초고속 정보 통신망

2000년대 이후

• 생명 공학, 우주 항공, 신소재 산업, 로봇 산업과 같은 첨단 산업이 발달하고 있음.
• 문화 콘텐츠 산업, 의료 서비스 산업, 관광 산업, 금융 산업 등 서비스 산업도 발달하고 있음.

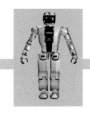

▲ 로봇 산업

▲ 신소재 산업

☑ 1990년대 이후에는 컴퓨터 관련 산업, 정보화 산업 등이 발달했고, 2000년대 이후에는 첨단 산업과 관광 산업, 금융 산업 등의 ❸ (조선 / 서비스) 산업이 발달하고 있습니다.

정답 ❶ 경공업 ❷ 자동차 ❸ 서비스

개념 체크

◦ 정답과 풀이 13쪽

1 정부는 1960년대에 ☐☐ 개발 5개년 계획을 세웠습니다.

2 1970년대에 정부는 ☐☐☐ 공업 육성 계획을 발표했습니다.

3 2000년대 이후에는 고도의 기술이 필요한 ☐☐ 산업이 발달하고 있습니다.

보기
• 정치   • 경제
• 중화학   • 컴퓨터
• 철강   • 첨단

1 정부가 다음과 같은 노력을 한 까닭으로 알맞은 것은 어느 것입니까? (   )

> 정부는 1962년부터 1986년까지 5년 단위로 경제 계획을 추진했습니다.

① 경제를 발전시키려고   ② 농업을 발전시키려고

③ 수출액을 감소시키려고   ④ 전쟁을 다시 시작하려고

⑤ 산업 구조를 변화시키지 않으려고

2 우리나라의 경제 성장 과정에 대한 내용에서 (   ) 안의 알맞은 말에 ○표를 하시오.

> 정부는 기업이 제품을 생산하고 쉽게 운반해 수출할 수 있도록 항만, (도로 / 저수지) 등을 건설했습니다.

3 다음 사진과 같이 가벼운 물건을 만드는 산업을 보기 에서 찾아 기호를 쓰시오.

▲ 가발 생산

▲ 신발 생산

보기
ㄱ 농업
ㄴ 어업
ㄷ 경공업

(   )

4 다음 내용에 해당하는 경제 발전의 시기는 언제입니까? (   )

> • 중화학 공업이 발달했습니다.
> • 현대화된 대형 조선소를 건설하여 조선 산업이 발달했습니다.

① 1950년대   ② 1960년대   ③ 1970년대

④ 1990년대   ⑤ 2000년대

5 다음에서 설명하는 산업은 어느 것입니까? (   )

> 1980년대에 본격적으로 세계 시장에 제품을 수출하면서 크게 성장한 산업입니다.

① 섬유 산업   ② 의류 산업   ③ 관광 산업
④ 자동차 산업   ⑤ 반도체 산업

집중 **연습 문제** **1990년대 이후 경제 성장 모습**

6 다음 중 1990년대 경제 성장 모습에 대해 바르게 말한 어린이를 쓰시오.

> 주영 : 정보 통신 기술의 영향으로 기존에 발달했던 산업들이 다 사라졌어요.
> 은우 : 개인용 컴퓨터의 보급이 확대되었고 관련 산업들이 생겨나기 시작했어요.
> 선아 : 정부의 지원으로 철강 및 석유 화학 기업들이 급격히 성장하게 되었어요.
> 휘서 : 컴퓨터와 가전제품의 생산이 늘어나면서 반도체의 중요성이 줄어들었어요.

(   )

1990년대에는 전기·전자 산업과 정보 통신 산업이 발달했어.

㉠, ㉡ 산업에 해당하는 산업을 더 써 볼까?

· ㉠ ➡ ◯◯ 산업
· ㉡ ➡ ◯◯ 서비스 산업

7 다음 내용에 해당하는 산업을 바르게 줄로 이으시오.

(1) 우주 항공 산업 ·

(2) 관광 산업 ·   · ㉠ 첨단 산업

(3) 문화 콘텐츠 산업 ·   · ㉡ 서비스 산업

(4) 신소재 산업 ·

2일 경제 성장에 따른 변화

경제 성장으로 문화도 퍼졌다고?

용어 체크

한류

우리나라의 영화, 드라마, 대중가요 등 우리 문화가 전 세계로 퍼지는 현상

예 다른 나라에서 ①[   ]를 즐기는 외국인들이 급증하고 있다.

우리나라 가수의 해외 팬 ▶

정답 ❶ 한류

경제 성장으로 문제도 생겼다고?

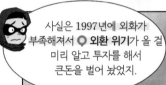

🦉 **용어 체크**

📍 외환 위기

외환 보유고가 크게 줄어들어 외환 시장에서 환율이 급등하는 현상

예 우리 국민들은 ❶ ⬜⬜⬜⬜⬜ 당시 금 모으기 운동에 참여했다.

📍 경제적 양극화

경제 사정이 좋은 사람은 돈을 더욱 많이 벌게 되고 경제 사정이 나쁜 사람은 사정이 더욱 나빠지는 경제적 현상

예 경제 성장 과정에서 ❷ ⬜⬜⬜⬜⬜ 로 인해 다양한 문제가 발생하고 있다.

정답 ❶ 외환 위기 ❷ 경제적 양극화

▶ 개념 동영상

1 경제 성장에 따른 사회 변화는 무엇일까?

전화 가입자 수의 변화

1953년	전화 가입자 2,500여 명
1987년	전화 1,000만 회선 돌파, 1가구 1전화 시대 돌입
1993년	전화 2,000만 회선 돌파, 1가구 2전화 시대 돌입

1990년대에는 공중전화 앞에 줄을 서서 기다려 통화했대.

경제 성장으로 변화한 사회의 모습

1960년대

흑백텔레비전 보급

1970년대

고속 국도 개통

1980년대

컴퓨터 보급

2010년대

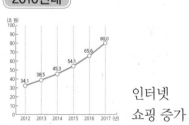

인터넷 쇼핑 증가

2000년대

고속 철도 개통

1990년대

승용차 증가

연도별 해외여행객 수

해외여행객이 증가하고 있음.

우리나라 가수의 해외 공연

세계적으로 한류가 확산되고 있음.

☑ 누구나 쉽게 통신, 교통수단을 이용할 수 있게 되었고, 삶이 풍족해지고 ❶(불편 / 편리)해졌습니다.

② 경제 성장 과정에서 나타난 문제점은 무엇일까?

경제 성장 과정에서 일어난 사건들

1960년대 이후

농촌에는 일할 사람이 없어요.

농촌, 젊은 사람이 많이 부족해

농촌 사람들이 도시로 많이 이동했음.

1995년

부실 공사로 인해 큰 사고가 발생했음.

1997년

외환 위기를 겪으며 경제가 어려워졌음.

경제 성장에서 나타난 문제점과 해결 노력

빈부 격차로 인한 **경제적 양극화**	• 시민 단체가 봉사 활동을 함. • 정부가 생계비, 양육비, 학비 등을 지원함.
실업자 증가, 근로자와 경영자 사이의 갈등	정부는 기업이 근로자의 인권을 잘 보호하고 있는지 감시하고, 근로자와 기업가가 타협하도록 중재함.
환경 오염, 에너지 자원 부족	• 정부가 전기 자동차 개발을 지원함. • 기업들이 친환경 제품을 판매함.

☑ 빈부 격차, 노사 갈등, ❷(인구 증가 / 환경 오염)와/과 자원 부족 문제 등이 발생했습니다.

정답 ❶ 편리 ❷ 환경 오염

개념 체크

정답과 풀이 13쪽

1 1960년대에는 □□ 텔레비전이 보급되었습니다.

2 1997년에 우리나라는 □□ 위기를 겪으며 경제가 어려워졌습니다.

3 근로자와 경영자 사이의 갈등을 해결하기 위해 □□가 노력하고 있습니다.

보기
• 컬러 • 흑백
• 외환 • 수입
• 학교 • 정부

1 다음 전화 가입자 수의 변화를 보고 알 수 있는 점을 바르게 말한 어린이를 쓰시오.

1953년		1987년		1993년
전화 가입자 2,500여 명	➡	전화 1,000만 회선 돌파, 1가구 1전화 시대 돌입	➡	전화 2,000만 회선 돌파, 1가구 2전화 시대 돌입

아영 : 갈수록 전화가 필요 없는 세상이 되고 있어요.

정한 : 전화를 사용하는 사람들이 점차 늘어나고 있어요.

나윤 : 스마트폰보다는 공중전화를 사용하는 사람들이 늘어나고 있어요.

(   )

2 다음 보기 에서 가장 최근에 변화한 생활 모습을 찾아 기호를 쓰시오.

보기

㉠ 컴퓨터 보급   ㉡ 공중전화 보급

㉢ 고속 철도 개통   ㉣ 흑백텔레비전 보급

(   )

3 다음 그래프에서 ☐ 안에 들어갈 알맞은 말은 어느 것입니까? (   )

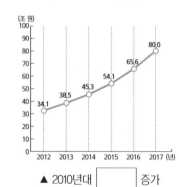

▲ 2010년대 ☐ 증가

① 농촌 인구

② 귀농 인구

③ 인터넷 쇼핑

④ 초등학생 수

⑤ 신발 생산 업체

4 다음 신문 기사를 보고 알 수 있는 사실은 어느 것입니까? (   )

| □□백화점 붕괴 | IMF 구제 금융 요청 |

① 경제 성장을 하면 좋은 점만 나타난다.

② 경제 성장을 해서 사회 문제가 모두 해결되었다.

③ 급격한 경제 성장은 사회 문제를 가져오기도 했다.

④ 빠른 속도로 경제 성장을 해야 문제가 발생하지 않는다.

⑤ 예전에는 경제 성장으로 많은 문제가 나타났지만 오늘날에는 찾아볼 수 없다.

5 경제적 양극화를 해결하기 위한 방법을 두 가지 고르시오. (,   )

① 정부의 생계비 지원 　　　　　　② 기업들의 친환경 제품 판매

③ 근로자와 기업 경영자의 대화 　　④ 정부의 전기 자동차 보급 지원

⑤ 어려운 사람들을 위한 시민 단체의 봉사 활동

4
주

 똑똑한 **하루 퀴즈**

6 다음 경제 성장의 시기와 그 시기에 해당하는 내용을 나타낸 것입니다. ㉠, ㉡에 들어갈 알맞은 시기를 쓰세요.

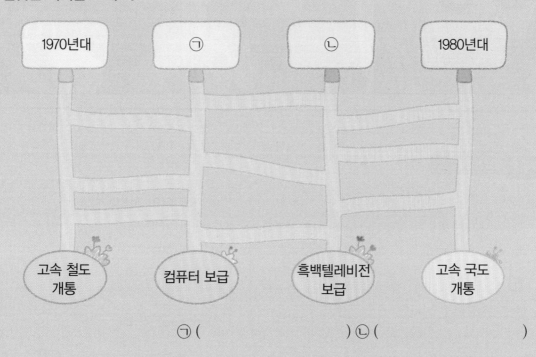

㉠ (   ) ㉡ (   )

3일 무역

무역을 자유롭게 할 수 있는 방법은?

여기는 또 왜 온 거야?

물건을 싣지도 않고, 왜 이렇게 많이 쌓여 있어요?

하도 많이 바꿔 놔서 나도 찾아봐야 해.

찾았다! ♥ **무역**을 하기 어렵게 한 거야!

어떻게?

우리나라는 다른 나라와 무역을 많이 하는 나라잖아?

무역으로 경제도 많이 성장했고?

그렇죠. 그래서 무역을 좀 더 편리하게 하려고 ♥ **자유 무역 협정**을 여러 나라와 맺고 있기도 하죠.

그런데 무역을 하기 매우 까다롭게 만들어 놔서 물건들이 이렇게 많이 쌓여있는 거야.

그럼 어떻게 해결할 거야?

🐹 용어 체크

♥ 무역

나라 사이에 필요한 물건이나 서비스를 사고파는 일로, 무역을 할 때 수출과 수입을 함.

예 우리나라는 세계 여러 나라와 [❶]을 활발하게 하고 있다.

♥ 자유 무역 협정(FTA)

나라 간 물건이나 서비스 등의 자유로운 이동을 위해 맺은 약속

예 우리나라는 칠레, 미국 등의 여러 나라와 [❷]을 맺고 있다.

정답 ❶ 무역 ❷ 자유 무역 협정

정답 ❶ 상호 의존

다른 나라와 어떤 도움을 주고받을까?

우리나라는 다른 나라와 무역을 통해 서로 도움을 주고받으며 살고 있는데 이렇게 해 놓으면 어떡해요?

무역은 각 나라가 **상호 의존**하는 형태로 이루어지기 때문에 우리나라에서만 해결한다고 되는 것도 아닌데…….

우리와 주로 무역을 하던 나라들을 찾아가서 해결해야 할 것 같아.

그럼 우리 설마…….

해외로 떠나는 거지~!

신난다!

그런데 우리는 여권도 없는데.

이게 있잖아?

통과~

해외로 출발~!

🐻 용어 체크

📍 **상호 의존**

상대가 되는 이쪽과 저쪽 모두가 서로에게 의지하여 존재한단 뜻으로, 무역에서 서로 좋은 기술이나 제품은 수출하고, 각 나라에 없거나 부족한 기술, 제품, 노동력을 수입하면서 경제적으로 도움을 주고받는 것을 말함.

예 우리나라는 다른 나라와 경제 분야에서 [❶　　　　　　　] 을 많이 하고 있다.

개념 동영상

1 나라와 나라 사이에 경제 교류를 하는 까닭은 무엇일까?

무역이 일어나는 모습

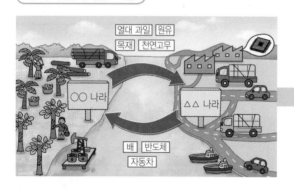

열대 과일 원유 목재 천연고무

○○ 나라 △△ 나라

배 반도체 자동차

- 두 나라는 물건과 서비스를 사고파는 **무역**을 하고 있음.
- 두 나라는 자연환경과 기술, 자원 등이 달라서 더 잘 생산할 수 있는 물건을 상호 교류하면서 서로 경제적 이익을 얻고 있음.

우리나라의 무역

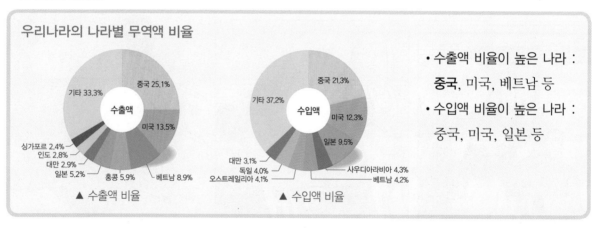

우리나라의 나라별 무역액 비율

수출액
기타 33.3%
중국 25.1%
미국 13.5%
베트남 8.9%
홍콩 5.9%
일본 5.2%
대만 2.9%
인도 2.8%
싱가포르 2.4%
▲ 수출액 비율

수입액
기타 37.2%
중국 21.3%
미국 12.3%
일본 9.5%
베트남 4.2%
사우디아라비아 4.3%
오스트레일리아 4.1%
독일 4.0%
대만 3.1%
▲ 수입액 비율

- 수출액 비율이 높은 나라 : **중국**, 미국, 베트남 등
- 수입액 비율이 높은 나라 : 중국, 미국, 일본 등

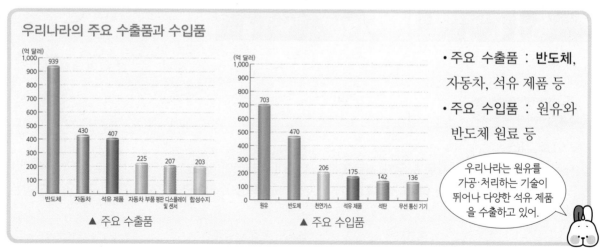

우리나라의 주요 수출품과 수입품

(억 달러)
반도체 939
자동차 430
석유 제품 407
자동차 부품 225
평판 디스플레이 및 센서 207
합성수지 203
▲ 주요 수출품

(억 달러)
원유 703
반도체 470
천연가스 206
석유 제품 175
석탄 142
무선 통신 기기 136
▲ 주요 수입품

- 주요 수출품 : **반도체**, 자동차, 석유 제품 등
- 주요 수입품 : 원유와 반도체 원료 등

우리나라는 원유를 가공·처리하는 기술이 뛰어나 다양한 석유 제품을 수출하고 있어.

☑ 나라마다 자연환경, 자원, ●(언어 / 기술) 등이 다르며, 더 잘 생산할 수 있는 것을 생산하기 때문입니다.

2 다른 나라와의 경제 교류 사례는 무엇이 있을까?

물건의 교류

커피

생산지
원산지

곰 인형

생산지
원산지

서비스의 교류

정부가 몽골과 협약을 체결해 정보 통신 기술을 활용한 의료 수출의 길을 열었습니다. 이는 몽골의 의료 환경을 개선하는 데 도움을 줄 것으로 기대됩니다.

한국 – 몽골, 원격 의료 협력 확대

원산지는 어떤 물건의 재료를 생산하는 곳이고, 생산지는 원산지의 재료를 들여와 가공해서 어떤 물품을 만들어 내는 곳이야.

의존 관계

• 우리나라의 발전된 기술과 좋은 물건을 수출하고 우리나라에 부족하거나 없는 자원, 물건, 기술, 노동력 등을 수입하여 서로 이익을 얻음.
• 경제적 교류를 자유롭고 편리하게 하기 위해 **자유 무역 협정**을 맺음.

경쟁 관계

• 같은 종류의 물건을 생산하는 다른 나라와는 서로 경쟁이 발생함.
• 특히 새로운 기술이 필요한 휴대 전화, 전자 기기, 자동차 시장에서의 경쟁이 더욱 치열함.

✓ 우리나라는 다른 나라와 경제적 도움을 주고받으며 ❷(경쟁 / 싸움)하기도 합니다.

정답 ❶ 기술 ❷ 경쟁

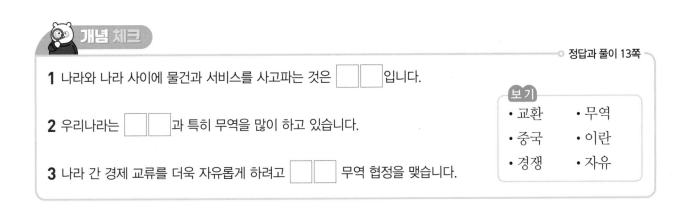

개념 체크

◇ 정답과 풀이 13쪽

1 나라와 나라 사이에 물건과 서비스를 사고파는 것은 ☐☐입니다.

2 우리나라는 ☐☐과 특히 무역을 많이 하고 있습니다.

3 나라 간 경제 교류를 더욱 자유롭게 하려고 ☐☐ 무역 협정을 맺습니다.

보기
• 교환 • 무역
• 중국 • 이란
• 경쟁 • 자유

1 나라와 나라 사이에 물건과 서비스를 사고파는 것을 나타내는 말은 어느 것입니까?

(   )

① 교환   ② 무역   ③ 수입

④ 수출   ⑤ 생산

2 다음 중 무역이 발생하는 까닭을 바르게 말한 어린이를 쓰시오.

> 현수 : 나라마다 쓰고 있는 언어가 다르기 때문이에요.
> 노은 : 나라마다 대통령이 생산하고 싶은 게 다르기 때문이에요.
> 채원 : 나라마다 자연환경과 자원, 기술 등이 다르기 때문이에요.

(   )

3 다음 그래프에서 ☐ 안에 들어갈 우리나라의 주요 수입품은 어느 것입니까? (   )

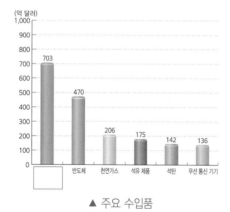

(억 달러)

703 / 470 / 206 / 175 / 142 / 136

반도체 / 천연가스 / 석유 제품 / 석탄 / 무선 통신 기기

▲ 주요 수입품

① 원유

② 컴퓨터

③ 자동차

④ 에어컨

⑤ 휴대 전화

4 다음 용어에 해당하는 설명을 바르게 줄로 이으시오.

(1) 원산지 •
     • ㉠ 어떤 물건의 재료를 생산하는 곳

(2) 생산지 •
     • ㉡ 원산지의 재료를 들여와 가공해서 어떤 물품을 만들어 내는 곳

5 우리나라와 다른 나라의 경제 관계에 대한 알맞지 <u>않은</u> 설명을 보기 에서 찾아 기호를 쓰시오.

> 보기
>
> ㉠ 우리나라는 다른 나라와 물건만 교류합니다.
> ㉡ 우리나라는 다른 나라와 서로 의존하며 교류하기도 합니다.
> ㉢ 우리나라는 새로운 기술이 필요한 분야에서 다른 나라와 경쟁하기도 합니다.
> ㉣ 우리나라는 자유로운 교류를 위해 다른 나라들과 자유 무역 협정을 맺었습니다.

(   )

집중 연습 문제   우리나라의 무역

6 다음 그래프를 보고, 수출액과 수입액 비율이 가장 높은 나라를 찾아 쓰시오.

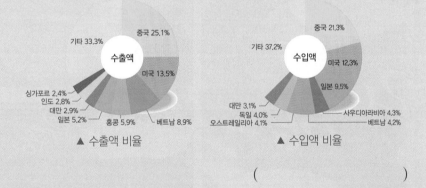

▲ 수출액 비율   ▲ 수입액 비율

(   )

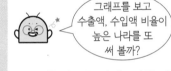

- 수출액, 수입액 비율이 두 번째로 높은 나라

 ➡ ◯ ◯

7 위 **6**번 수출액 비율, 수입액 비율 그래프를 보고 바르게 말한 어린이를 쓰시오.

> 서후 : 우리나라는 가까이 있는 나라들과만 무역을 하고 있어요.
> 이영 : 우리나라는 자연환경이 비슷한 나라들과 주로 무역을 하고 있어요.
> 주미 : 우리나라는 수출액 비율이 가장 높은 나라와 수입액 비율이 가장 높은 나라가 같아요.

(   )

우리나라는 중국, 미국, 일본 등의 나라와 수출액, 수입액 비율이 높은 편이야.

4일 무역 문제

📢 **무역 문제를 해결할 수 있을까?**

 용어 체크

📍 **무역 문제**

다른 나라와 경제 교류를 하면서 겪는 어려움으로, 우리나라는 세계 여러 나라와 무역을 하면서 이익을 보기도 하지만 문제가 발생하기도 함.

예 자기 나라 경제를 지나치게 보호하다 보면 ❶ _____가 발생하기도 한다.

정답 ❶ 무역 문제

정답 ❶ 관세 ❷ 세계 무역 기구

 무역 문제를 해결해 주는 곳이 있을까?

 용어 체크

⊙ 관세

국외에서 수입하는 물건에 부과하는 세금

예 다른 나라가 우리나라 물건에 높은

❶ [   ] 를 부과하면 수출하기 어려

워진다.

⊙ 세계 무역 기구(WTO)

나라와 나라 사이에서 무역과 관련된 문제가 일어났을

때 공정하게 심판하려고 만들어진 국제기구

예 나라 간에 이익이 충돌할 때 중재할 기관이 필

요하기 때문에 ❷ [   ] 를 만들었다.

정답 ❶ 관세 ❷ 세계 무역 기구

6-1 • **155**

▶ 개념 동영상

1 다른 나라와의 경제 교류가 우리 경제생활에 미친 영향은 무엇일까?

의식주 및 여가 생활에 미친 영향

의생활

취급 주의 표시
○ ▭▭ ☒
생산지: **베트남**
수입자명: ○○○
판매자명: △△△

취급 주의 표시
○ ▭▭ ☒
생산지: **중국**
수입자명: ○○○
판매자명: △△△

우리가 입고 있는 옷의 생산지는 베트남, 중국 등으로 **다양함**.

식생활

우리가 먹는 음식의 재료도 다양한 국가에서 수입돼요.

다양한 나라의 음식을 그 나라에 가지 않아도 먹을 수 있음.

주생활

다른 나라에서 수입한 가구를 쉽게 살 수 있고, 외국의 주택 구조와 **비슷**해지고 있음.

여가 생활

다른 나라에서 만든 만화 영화를 영화관에서 관람할 수 있음.

개인과 기업에 미친 영향

개인

• 경제 활동 범위가 넓어졌음.
• 전 세계의 값싸고 다양한 물건을 선택할 수 있음.

▲ 다른 나라에서 수입한 열대 과일

기업

• 새로운 기술과 아이디어를 주고받음.
• 다른 나라에 공장을 세워 제조 비용과 운반 비용을 줄임.

▲ 인도에 있는 우리나라 기업의 자동차 공장

☑ 의식주와 여가 생활에 변화를 주었고, 개인과 기업의 ❶(경제 / 정치)생활에도 변화를 주었습니다.

2 다른 나라와 경제 교류를 하면서 생기는 문제점과 해결 방안은 무엇일까?

문제점

농산물 수입을 제한하고 있어 더는 농산물을 수입할 수 없습니다.

대한민국에서 수입하는 세탁기에 관세를 더 부과하겠습니다.

15%
50%
15% 15%

우리는 당분간 ○○ 나라 수산물을 수입하지 않겠습니다.

○○ 나라 수산물 수입 금지

기후 변화로 ○○ 나라의 커피 생산량이 크게 줄어 수입이 어려워졌어.

서로 자기 나라의 경제를 보호하려고 하기 때문에 무역 문제가 발생해.

자기 나라 경제를 보호하는 여러 가지 까닭
• 국민의 실업 방지
• 국가의 안정적 성장
• 경쟁력이 낮은 산업 보호

해결 방안

• 무역 문제로 생기는 피해를 줄이는 **대책**을 미리 마련하고, 여러 나라가 협상·합의합니다.
• 무역 관련 문제가 발생했을 때 **세계 무역 기구** 등 **국제기구**에 도움을 요청합니다.

☑ 수출 감소, 관세 부과 등의 무역 문제는 **협상하고 합의하려는 노력**, ❷(기업 / **국제기구**)의 도움 등으로 해결할 수 있습니다.

정답 ❶ 경제 ❷ 국제기구

🐼 개념 체크

◦ 정답과 풀이 14쪽

1 다른 나라와의 ☐☐ 교류가 의식주 생활을 크게 변화시켰습니다.

2 다른 나라와의 경제 교류로 개인의 경제 활동 범위가 ☐☐졌습니다.

3 무역을 할 때 한국산 물건에 높은 ☐☐를 부과하는 문제가 발생하기도 합니다.

보기
• 경제   • 예술
• 좁아   • 넓어
• 관세   • 물가

1 다음 준호가 말하는 변화와 관련 있는 우리의 생활은 어느 것입니까? (   )

> 준호 : 우리 반 친구들이 입고 있는 옷의 생산지를 살펴봤어요. 비슷하게 생겼지만 실제로 생산지를 찾아보니 베트남, 중국 등 다양한 국가에서 만든 것을 알 수 있었어요.

① 의생활   ② 주생활   ③ 식생활
④ 문화생활   ⑤ 여가 생활

2 다음 중 경제적 교류로 인한 우리 생활의 변화 모습으로 알맞지 <u>않은</u> 것은 어느 것입니까? (   )

① 다른 나라에서 수입한 가구를 쉽게 살 수 있다.
② 다른 나라에서 만든 영화를 영화관에서 볼 수 있다.
③ 우리가 먹는 음식의 재료가 다양한 국가에서 수입된다.
④ 다른 나라에 직접 가지 않아도 그 나라의 음식을 먹을 수 있다.
⑤ 우리나라 주택의 구조와 외국 주택의 구조가 크게 달라지고 있다.

3 다음과 같이 공장을 만들면 좋은 점을 보기에서 모두 찾아 기호를 쓰시오.

▲ 인도에 있는 우리나라 기업의 자동차 공장

> 보기
> ㉠ 운반 비용을 늘릴 수 있습니다.
> ㉡ 제조 비용을 줄일 수 있습니다.
> ㉢ 값싼 노동력을 활용할 수 있습니다.

(,   )

4 다음 중 자기 나라 경제를 보호하는 까닭을 바르게 말한 어린이를 쓰시오.

> 윤성 : 실업자가 늘어나게 하기 위해서예요.
> 지우 : 다른 나라의 불공정 거래에 대응하기 위해서예요.
> 혜나 : 경쟁력이 높은 산업을 더욱 보호하기 위해서예요.

(   )

5 다음 중 무역 문제를 해결하려는 노력으로 알맞지 <u>않은</u> 것은 어느 것입니까? (   )

① 무역 문제로 생기는 피해를 줄이는 대책을 마련해야 한다.
② 세계 여러 나라가 무역 문제를 합의하려고 노력해야 한다.
③ 무역 문제가 발생했을 때 국제기구에 도움을 요청해야 한다.
④ 무역 문제를 해결하는 세계 무역 기구와 같은 국제기구가 있어야 한다.
⑤ 세계 여러 나라가 되도록 무역 문제에 대한 대화를 나누지 말아야 한다.

4주

6 다음 힌트를 읽고, 어떤 국제기구에 대한 설명인지 쓰세요.

> 경제의 국제 연합(UN)이라고 불립니다.

> 무역 문제가 발생했을 때 공정하게 심판하려고 만들어졌습니다.

> 지구촌 경제 질서를 유지하면서 세계 무역을 보다 더 자유롭게 할 수 있도록 만들어졌습니다.

(   )

1 우리나라의 경제 성장 과정

우리 나라는 눈부신 경제 발전을 이루었어.

1960년대

농업, 어업, 임업 중심의 산업이 발달했고, 경공업이 발전해 많은 상품을 해외에 수출했음.

1970년대

산업에 필요한 철강 산업이 발전했음.

2000년대

고도의 기술이 필요한 신소재, 로봇과 같은 첨단 산업이 발전했음.

1990년대

우수한 반도체를 생산하고, 정보 통신 산업이 발전했음.

1980년대

자동차를 해외에 수출하면서 자동차, 기계 산업이 발전했음.

2 경제 성장에 따른 사회 변화

① 경제 성장으로 변화한 우리 생활의 다양한 모습

경제 성장으로 생활이 풍족하고 편리해졌어.

흑백텔레비전 보급 ➡ 고속 국도 개통 ➡ 컴퓨터 보급 ➡ 승용차 증가 ➡ 고속 철도 개통 ➡ 인터넷 쇼핑 증가

② 경제 성장 과정에서 나타난 문제점과 해결 노력

문제점	해결 노력
경제적 양극화	시민 단체의 봉사 활동, 복지 정책을 위한 여러 법률 제정, 정부의 생계비, 양육비, 학비 지원 등
노사 갈등	일자리 늘리기, 근로자와 기업 경영자의 갈등 해결 등
환경 오염 및 자원 부족	정부의 전기 자동차 보급 지원 정책, 기업들의 친환경 제품 판매, 환경 보호 운동, 에너지 절약 운동 등

3 세계 속의 우리나라 경제

세계 여러 나라의 경제 교류가 활발해지고 있어.

① 무역

뜻	• 나라와 나라 사이에 물건과 서비스를 사고파는 것 • 다른 나라에 물건을 파는 것을 수출, 다른 나라에서 물건을 사 오는 것을 수입이라고 함.
하는 까닭	나라마다 자연환경과 자원, 기술 등에 차이가 있어 더 잘 생산할 수 있는 물건이나 서비스가 다르기 때문에

② 경제 교류가 미친 영향

의생활	우리가 입는 옷이나 신발 등을 다양한 국가에서 만들었음.
식생활	다양한 나라의 음식을 국내에서 먹을 수 있음.
주생활	다른 나라에서 수입한 가구를 사용하는 가정이 많아졌음.
여가 생활	다른 나라에서 만든 만화 영화를 영화관에서 관람할 수 있음.

③ 무역을 하면서 발생하는 문제를 해결하는 방법
- 무역 문제가 발생했을 때 국제기구에 도움을 요청하기도 합니다.
- 세계 여러 나라가 무역 문제를 함께 협상하고 합의하려는 노력이 필요합니다.

4
주

20○○. ○○. ○○.

인도, 무역 관련 분쟁에서 미국에 패소
소송에서 짐.

　2011년에 인도는 태양광 발전 사업을 발표하면서 인도에서 생산된 태양 전지와 컴퓨터 시스템만을 사용하겠다고 발표했습니다. 이러한 정책으로 미국의 관련 물건 수출이 90 % 정도 줄어들자, 2013년에 미국은 세계 무역 기구에 판정을 요청했습니다.

　세계 무역 기구는 이 사건을 조사하고 인도가 '외국 기업과 국내 기업을 차별해서는 안 된다.'라는 세계 무역 기구의 규정을 위반했다고 판정했습니다.

▲ 인도의 태양광 발전 시설

4주 마무리하기 문제

1일 우리나라의 경제 성장 과정

1 6·25 전쟁 이후 제품을 쉽게 운반하고 수출하기 위해 정부에서 만든 것을 두 가지 고르시오. (　　,　　)

① 인천 항만　　　　　　② 경부 고속 국도

③ 울산 정유 공장　　　　④ 춘천 수력 발전소

⑤ 한국 과학 기술 연구소

2 다음 중 1970년대에 발전했던 산업의 모습을 찾아 기호를 쓰시오.

▲ 신소재 산업　　　▲ 조선 산업　　　▲ 자동차 산업　　　▲ 농업

(　　　　　　　　)

3 1990년대 이후 경제 성장의 모습으로 알맞지 <u>않은</u> 것은 어느 것입니까? (　　　　)

① 컴퓨터의 보급 확대

② 반도체 산업의 발달

③ 정보 통신 산업의 발달

④ 초고속 정보 통신망 설치

⑤ 높은 기술력을 갖추기 위한 중화학 공업의 육성

4 다음 경제 성장의 모습에서 (　　　) 안의 알맞은 시기에 ○표를 하시오.

> 로봇 산업, 우주 항공 산업 등 첨단 산업은 (2000년대 / 1980년대) 이후에 발달했습니다.

2일 경제 성장에 따른 변화

5 오늘날 다음과 같은 모습을 많이 찾아볼 수 없게 된 까닭은 어느 것입니까? ( )

▲ 1990년대 공중전화 앞 풍경과 카드식 전화기

① 휴대 전화를 사용해서

② 텔레비전 보급이 늘어나서

③ 거리에 사람들이 다니지 않아서

④ 사람들이 집에서만 전화를 해서

⑤ 공중전화의 보급을 법적으로 막아서

6 다음 그래프와 같은 현상이 발생하는 까닭을 바르게 말한 어린이를 쓰시오.

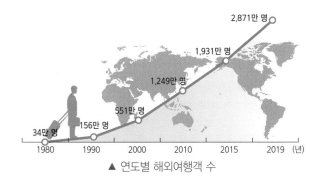

▲ 연도별 해외여행객 수

지우 : 우리나라 경제가 성장했기 때문이에요.

초희 : 우리나라 인구가 줄어들었기 때문이에요.

성주 : 인터넷이 발달한 나라가 줄어들고 있기 때문이에요.

( )

7 정부에서 전기 자동차 보급을 지원하는 까닭은 어느 것입니까? ( )

① 인구를 줄이기 위해

② 귀농 현상을 막기 위해

③ 자원을 더 많이 쓰기 위해

④ 외환 위기를 극복하기 위해

⑤ 환경 오염 문제를 해결하기 위해

3일 무역

8 다음 무역과 관련 있는 말을 바르게 줄로 이으시오.

(1) 수입 •

• ㉠ 다른 나라에 물건을 파는 것

(2) 수출 •

• ㉡ 다른 나라에서 물건을 사 오는 것

9 다음 두 나라가 무역을 하는 까닭을 간단히 쓰시오.

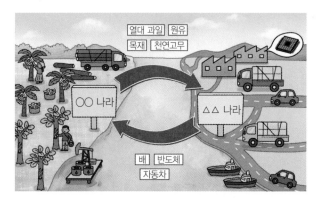

_____

_____

10 다음에서 설명하는 협정은 무엇인지 쓰시오.

• 나라 간 물건이나 서비스 등의 자유로운 이동을 위해 세금, 법과 제도 등의 문제를 줄이거나 없애기로 한 약속입니다.
• 우리나라도 자유로운 무역을 위해 많은 나라와 이 협정을 맺고 있습니다.

(   )

11 다음 어린이가 하는 말과 관련 있는 경제적 교류로 인해 변화한 우리 생활의 모습은 어느 것입니까? (   )

다른 나라 음식도 우리나라에서 쉽게 먹을 수 있네!

① 식생활
② 의생활
③ 주생활
④ 취미 생활
⑤ 여가 생활

12 다음 검색 결과 중 알맞지 않은 것을 찾아 기호를 쓰시오.

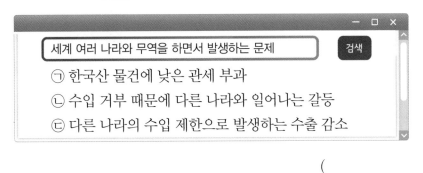

세계 여러 나라와 무역을 하면서 발생하는 문제   검색

㉠ 한국산 물건에 낮은 관세 부과

㉡ 수입 거부 때문에 다른 나라와 일어나는 갈등

㉢ 다른 나라의 수입 제한으로 발생하는 수출 감소

(   )

똑똑한 하루 퀴즈

13 다음은 경제 성장으로 변화한 우리 생활 모습을 시대순으로 정리한 사진입니다. 사진과 해당 시기가 잘못 연결된 것을 두 가지 찾아 연대를 쓰세요.

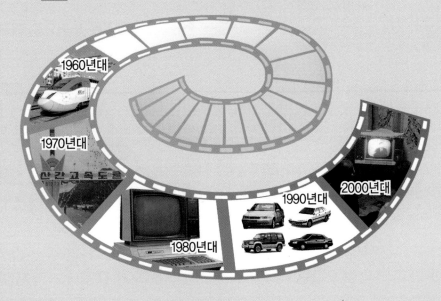

1960년대
1970년대
1980년대
1990년대
2000년대

(,   )

1 다음과 같은 제품을 많이 만들어 수출하였던 시기는 언제입니까? (   )

▲ 가발 생산

① 1960년대   ② 1980년대

③ 1990년대   ④ 2000년대

⑤ 2010년대

2 다음 중 중화학 공업에 해당하는 것은 어느 것입니까? (   )

① 쌀 생산   ② 철 생산

③ 의류 생산   ④ 가발 생산

⑤ 신발 생산

3 다음 중 1970년대에 우리나라의 수출을 이끌었던 산업은 어느 것입니까? (   )

① 어업   ② 농업

③ 관광 산업   ④ 조선 산업

⑤ 반도체 산업

4 다음 중 가장 먼저 변화한 사회 모습은 어느 것입니까? (   )

①    ②

▲ 고속 철도 개통   ▲ 컴퓨터 보급

③    ④

▲ 흑백텔레비전 보급   ▲ 승용차 증가

5 다음과 같은 노력으로 해결할 수 있는 문제는 어느 것입니까? (   )

▲ 정부는 가난한 사람들을   ▲ 시민 단체에서 사회적 약자
　 지원함.   　 를 위한 봉사 활동을 함.

① 자원 부족   ② 환경 오염

③ 노사 갈등   ④ 빈부 격차

⑤ 인구 감소

6 다음 그림과 같이 두 나라가 서로 물건을 사고 파는 것은 무엇입니까? ( )

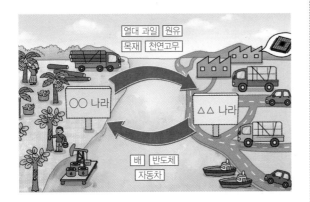

① 교류
② 소비
③ 무역
④ 보급
⑤ 협력

7 다음 우리나라의 나라별 수출액 비율을 나타 낸 그래프에서 우리나라와 수출액 비율이 두 번째로 높은 나라는 어디입니까? ( )

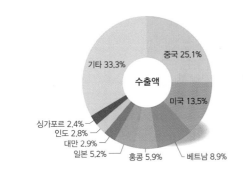

① 중국
② 미국
③ 일본
④ 홍콩
⑤ 베트남

8 다른 나라와의 경제 교류 사례를 바르지 <u>않게</u> 말한 어린이는 누구인지 쓰시오.

나연 : 우리나라는 다른 나라와 서비스를 교류하지 않고 물건만 교류해요.
지현 : 우리나라는 휴대 전화, 자동차 시장 등에서 다른 나라와 치열하게 경쟁해요.
주은 : 우리나라는 다른 나라와 자유롭게 교류하기 위해 자유 무역 협정을 맺었 어요.

( )

9 다음 무역에 대한 설명에서 ( ) 안의 알맞 은 말에 ○표를 하시오.

무역을 할 때 국외에서 수입하는 물건에 부과하는 세금을 (관세 / 재산세)라고 합 니다.

10 다음 중 무역과 관련된 문제를 공정하게 심판 하려고 만들어진 국제기구는 어느 것입니까?

( )

① 국제 연합
② 국제 통화 기금
③ 세계 보건 기구
④ 세계 무역 기구
⑤ 국제 난민 기구

생활 속 **사회**

뉴스 내용을 보며 우리나라 경제 성장의 과정을 이해합니다.

1 다음은 우리나라 경제 성장 과정에서 볼 수 있었던 뉴스예요.

㉠ 오늘 최초로 해외 주문을 받아 만든 대형 선박인 '애틀랜틱 배런호'가 수출되었습니다. 국내 최초의 초대형 유조선인 '애틀랜틱 배런호'는 우리나라 조선업의 발전을 세계 조선 시장에 알리는 계기가 되었습니다.

국내 최초 대형 선박의 수출

㉡ 자동차 기술의 발달로 우리나라 자동차의 세계 진출 속도가 빨라지고 있습니다. 우리나라 자동차는 중동, 중남미뿐만 아니라 미국 시장까지 진출하여 우리나라 자동차 산업이 세계에 알려지고 있습니다.

자동차 수출 활성화

(1) 위 뉴스 중 먼저 일어난 일을 찾아 기호를 쓰세요.

(   )

(2) 다음 신문 기사와 같은 시기에 일어난 일을 찾아 기호를 쓰세요.

> △△ 신문　　　　　　　　19△△년 △△월 △△일
>
> ### 주요 수출품의 변화
>
> 기계 산업, 전자 산업이 최근 크게 발전해 정밀 기계 부품, 텔레비전 등이 주요 수출품으로 자리잡고 있다.

(   )

o 정답과 풀이 16쪽

우리나라와 콜롬비아의 교류 모습을 보며, 경제 교류를 하는 까닭을 알아봅니다.

2 다음은 우리나라와 콜롬비아의 교류 모습이에요.

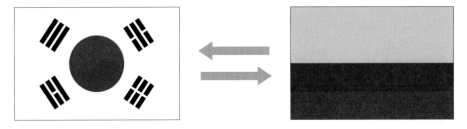

세계 최고의 커피와 초콜릿, 콜롬비아

콜롬비아는 해발 고도가 높고 기후가 온화해 커피를 재배하는 데 적합한 조건을 갖춰 좋은 품질의 커피를 생산한다. 소량으로 생산한 품질 좋은 카카오로 만든 초콜릿은 맛과 향이 뛰어나 콜롬비아의 또 다른 자랑이다.

원유 수출국이기도 한 콜롬비아는 2016년 우리나라와 ☐☐☐☐ 협정을 맺었다. 최근 한국의 자동차가 콜롬비아 국민들에게 큰 인기를 얻고 있다.

(1) 위와 같이 우리나라와 콜롬비아가 경제 교류를 하는 까닭을 바르게 말한 어린이를 쓰세요.

전 세계에서 커피를 생산하는 나라는 콜롬비아밖에 없기 때문이야.

▲ 민우

콜롬비아와 우리나라가 자연환경, 기술 등이 다르기 때문이야.

▲ 상현

콜롬비아 사람들이 우리나라 자동차만 타기 때문이야.

▲ 주언

(   )

(2) 위 신문 기사에서 ☐ 안에 들어갈 알맞은 말을 아래 단어 카드를 조합하여 쓰세요.

| 무 | 박 | 자 | 주 | 역 | 호 | 마 | 유 |

(   )

사고 쑥쑥

우리나라 경제 발전 시기에 나온 우표를 보고, 경제 발전의 과정을 알아봅니다.

3 다음은 우리나라의 경제 발전과 관련된 우표를 수집한 모습이에요.

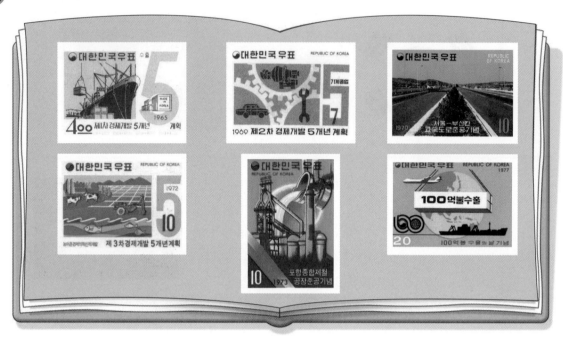

(1) 다음은 위 우표들을 보고 떠오르는 생각을 노트에 정리한 것입니다. 바르지 <u>않은</u> 것을 찾아 번호를 쓰세요.

1. 1960년대와 1970년대에 발행된 우표들이다.
2. 우리나라 경제 발전 초기의 모습을 확인할 수 있다.
3. 경제 발전에 맞춰 고속 국도가 개통되었던 것을 확인할 수 있다.
4. 우표를 만들 당시의 경제 상황이 지금보다 훨씬 좋았다.

(   )

(2) 다음 중 오늘날 경제 발전의 모습을 담은 우표로 알맞은 것에 ○표를 하세요.

십자말풀이를 하며 '세계 속의 우리나라 경제'에 대한 내용을 알 수 있습니다.

 다음 십자말풀이를 해 보세요.

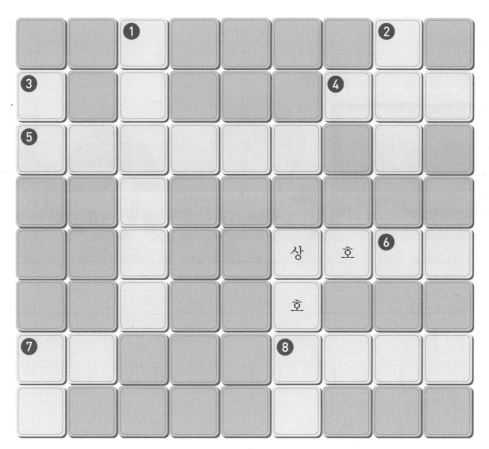

➡가로

④ 원산지의 재료를 들여와 가공해 어떤
물품을 만들어 내는 곳

⑤ 나라와 나라 사이에서 무역과 관련된
문제가 일어났을 때 공정하게 심판하
려고 만들어진 국제기구

⑥ 우리나라는 다른 나라와 서로 ○○하
며 경제적으로 교류한다.

⑦ 무역을 할 때 다른 나라에 물건을 파
는 것

⑧ 기업들은 다른 나라와 ○○ ○○를 하
는 과정에서 새로운 기술과 아이디어
를 주고받을 수 있게 되었다.

⬇세로

❶ 나라 간 물건이나 서비스 등의 자유로
운 이동을 위해 세금, 법과 제도 등의
문제를 줄이거나 없애기로 한 약속

❷ 어떤 물건의 재료를 생산하는 곳

❸ 국외에서 수입하는 물건에 부과하는
세금

❼ 무역을 할 때 다른 나라에서 물건을
사오는 것

❽ 우리나라와 다른 나라는 서로 도움을
주고받으며 교류하는 동시에 세계 시
장에서 ○○하기도 한다.

4주 특강 논리 탄탄

우리나라의 경제 발전 과정을 생각하며 도착까지 가는 길을 완성해 봅니다.

5 다음은 나연이와 지우가 박물관에 간 모습이에요.

(1) 위 만화에 ㉠에 들어갈 숫자가 적힌 깃발에 ○표를 하시오.

(2) 위 나연이의 마지막 질문에 알맞은 대답을 찾아 화살표로 가는 길을 표시해 보세요.

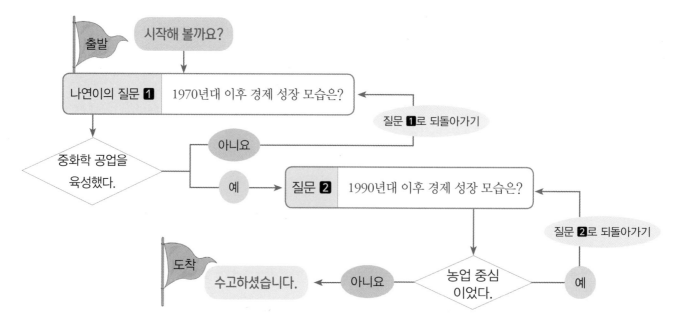

조건을 읽어 보고, 우리나라에서 수출하는 물건을 배에 잘 싣는 경로를 표시해 봅니다.

6 다음 보기와 같이 수출하는 배에 물건을 쌓으려고 합니다. 수출할 물건을 순서대로 쌓아서 배를 출발시키려면 어떻게 해야 할지 아래 조건을 보고 경로를 직접 표시해 보세요.

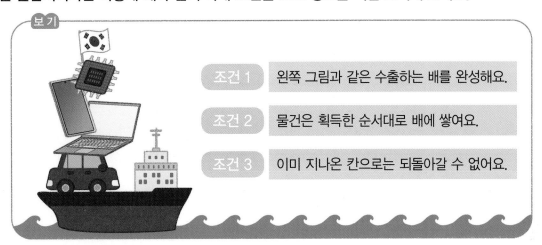

조건 1 왼쪽 그림과 같은 수출하는 배를 완성해요.

조건 2 물건은 획득한 순서대로 배에 쌓여요.

조건 3 이미 지나온 칸으로는 되돌아갈 수 없어요.

1~4주 동안 공부한
사회 용어를
ㄱㄴㄷ 순서로 정리했어요!

ㄱ		
가계	가정 살림을 같이하는 생활 공동체로, 기업의 생산 활동에 참여하고 기업에서 만든 물건을 구입함.	96쪽
간선제	일정 수의 선거인단을 구성해 이들에게 대표자를 뽑게 하는 제도	18쪽
경공업	식료품, 섬유, 종이 등 비교적 가벼운 물건을 만드는 산업	138쪽
경제 개발 5개년 계획	경제 발전을 하려고 1962년부터 1986년까지 5년 단위로 추진한 경제 계획 예 정부는 우리나라의 경제 발전을 위해 경제 개발 5개년 계획을 세웠다.	138쪽
경제 활동	사람들이 살아가는 데 필요한 물건과 생활에 편리함을 주는 서비스를 생산, 분배, 소비하는 모든 활동	114쪽
경제 활동의 경쟁	개인은 더 좋은 일자리를 얻으려고 경쟁하기도 하고, 기업은 보다 더 많은 이윤을 얻으려고 다른 기업과 경쟁하기도 함.	108쪽
경제 활동의 자유	개인은 직업 활동의 자유, 직업 선택의 자유, 소득을 자유롭게 사용할 자유 등이 있고, 기업은 무엇을 생산하고 판매할지 정할 자유가 있음.	108쪽
경제적 양극화	경제 사정이 좋은 사람은 돈을 더욱 많이 벌게 되고 경제 사정이 나쁜 사람은 사정이 더욱 나빠지는 경제적 현상	145쪽
계엄군	전쟁이나 내란 등 국가의 비상사태가 일어났을 때, 전국 또는 일부 지역을 경계하는 임무를 맡은 군대	19쪽
공정 거래 위원회	독점 및 불공정 거래에 관한 사안을 심의·의결하기 위해 설립된 정부 기관 예 공정 거래 위원회는 소비자의 주권을 확립하기 위해 노력한다.	115쪽
과장 광고	상품이나 서비스에 대한 정보를 사실보다 부풀려 소비자에게 알리는 의도적인 활동	115쪽
관세	국외에서 수입하는 물건에 부과하는 세금	157쪽
국무 회의	정부의 주요 정책을 심의하는 최고의 심의 기관으로 대통령과 국무총리, 국무 위원으로 구성됨.	60쪽
국무총리	대통령을 보좌하고 대통령의 명을 받아 행정 각 부를 거느리는 직무를 맡은 공무원	60쪽
국민 주권	국가의 의사를 결정할 수 있는 최고의 권력인 주권이 국민에게 있다는 것	54쪽
국정 감사	국회가 국정 전반에 관한 조사를 행하는 것	55쪽
국회 의원	선거를 통해 선출된 국민의 대표로서 국회에서 헌법과 법률의 개정 및 의결과 관련된 일을 함.	54쪽
국회	국민의 대표로 구성한 입법 기관 예 법을 만들고 고치는 일은 국회에서 한다.	54쪽
군사 정변	군인들이 힘을 앞세워 정권을 잡는 행위	18쪽
권력 분립	국가 기관이 권력을 나누어 가지고 서로 감시하는 민주 정치의 원리	72쪽
기본권	헌법이 보장하는 국민의 기본적인 권리	66쪽
기업	가계에서 노동과 자본 등의 생산 요소를 제공받아 재화와 서비스를 생산, 공급해 이윤을 획득하는 조직체	96쪽

ㄷ

ㅁ

ㅂ

ㅅ

문제 읽을 준비는
저절로 되지 않습니다.

문해력을 키우는 시간

하루
10분

똑똑한 하루 국어 시리즈

문제풀이의 핵심, 문해력을 키우는 승부수

예비초~초6 각 A·B

교재별 14권

예비초A·B, 초1~초6: 1A~4C

총 14권

정답과 풀이

1주 우리나라의 민주주의

1일 4·19 혁명

13쪽 개념 체크

1 독재 **2** 부정 **3** 이승만

14~15쪽 개념 확인하기

1 ③, ④ **2** ③, ④ **3** 진호 **4** ㉡, ㉢, ㉠

집중 연습 문제

5 해림, 지후 **6** ③

풀이

1 이승만은 8·15 광복 후 대통령으로 선출되었으나, 부정한 방법으로 권력을 이어 나가다 4·19 혁명으로 물러났습니다.

> **왜 틀렸을까?**
> ①, ②는 박정희, ⑤는 전두환에 대한 설명입니다.

2 4·19 혁명은 1960년에 일어났습니다.

3 4·19 혁명은 3·15 부정 선거에 대항하여 일어났습니다.

4 마산에서 일어난 시위는 시위에 참여했다가 실종된 고등학생 김주열이 죽은 채로 발견되면서 각계 각층의 시민이 참여하는 전국 시위로 확대되었습니다. 결국 이승만은 대통령 자리에서 물러났고, 3·15 부정 선거는 무효가 되었습니다.

5 유권자들에게 물건을 주고 자유당 후보를 찍도록 매수하는 방법, 미리 자유당 후보에게 투표한 투표함을 정상적인 투표함과 바꿔치기하는 방법 등 여러 가지 방법으로 부정을 저질렀습니다.

6 4·19 혁명은 이승만 정부의 3·15 부정 선거에 맞섰던 시위에서 시작한 대규모 반독재 투쟁이자 혁명입니다.

2일 5·18 민주화 운동

19쪽 개념 체크

1 간선제 **2** 계엄군 **3** 방송

20~21쪽 개념 확인하기

1 5·16 군사 정변 **2** ④, ⑤ **3** ②
4 전라남도 광주 **5** ㉠ **6** ④, ⑤

똑똑한 하루 퀴즈

7 박정희

풀이

1 4·19 혁명 이후 국민은 민주적인 사회를 기대하고 있었으나 박정희는 군사 정변을 일으키고 독재 정치를 이어 나갔습니다.

2 대통령을 할 수 있는 횟수를 제한하지 않고, 대통령 직선제를 간선제로 바꾼 유신 헌법의 내용은 국민의 권리를 대통령이 제한할 수 있는 것이어서 민주적이지 않았습니다.

3 박정희가 부하에게 살해되고 국민들은 민주주의 사회가 될 것이라고 기대했지만, 전두환이 중심이 된 군인들이 또 정변을 일으켰습니다.

4 전두환이 시민들의 새로운 헌법 제정과 민주적인 정부 수립 요구를 무시하자 전라남도 광주에서 대규모 민주화 시위가 일어났습니다.

5 전라남도 광주에서 대규모 민주화 시위가 일어나자 전두환은 시위를 진압할 계엄군을 광주에 보냈고, 계엄군은 총을 쏘며 폭력적으로 시위를 진압했습니다.

6 5·18 민주화 운동은 우리나라의 민주주의 발전에 밑거름이 되었습니다.

7 5·16 군사 정변으로 정권을 잡은 박정희는 유신 헌법 공포 등을 통해 독재 정치를 했습니다.

3일 6월 민주 항쟁과 정치 참여

25쪽 개념 체크

1 민주 **2** 직선제 **3** 누리

26~27쪽 개념 확인하기

1 ④, ⑤ **2** 형진 **3** ③, ⑤ **4** ② **5** ⑤

집중 연습 문제

6 (1) ㉠ (2) ㉡ **7** ②

풀이

1 전두환 정부는 신문과 방송을 통제해 정부를 비판하는 내용을 내보내지 않고 유리한 내용만 전하도록 했습니다.

2 시민들과 학생들은 박종철 사망 사건을 숨기던 정부에 고문을 금지할 것과 책임자를 처벌할 것을 요구했습니다.

3 시민들과 학생들은 전두환 정부의 독재에 반대하고 대통령 직선제를 요구하며 전국 곳곳에서 시위를 벌였습니다.

4 6월 민주 항쟁 결과 6·29 민주화 선언이 발표되었습니다.

【 왜 틀렸을까? 】
㉠ 3·15 부정 선거, ㉢ 김주열 사망 사건은 4·19 혁명과 관련된 사건입니다.

5 정보 통신 기술이 발달함에 따라 시민들은 누리 소통망 서비스를 활용해 사회의 여러 가지 문제에 대해 자신의 의견을 제시하기도 합니다.

6 대통령 직선제는 대통령을 국민이 직접 뽑는 것이고, 지방 자치제는 지역의 주민이 직접 선출한 지방 의회 의원과 지방 자치 단체장이 그 지역의 일을 처리하는 제도입니다.

7 6월 민주 항쟁은 대통령 직선제, 언론의 자유 보장, 지방 자치제 시행, 지역감정 없애기 등의 내용이 담긴 6·29 민주화 선언을 이끌어 냈습니다.

4일 민주주의

31쪽 개념 체크

1 민주 **2** 존중 **3** 평등

32~33쪽 개념 확인하기

1 민주주의 **2** ④ **3** 평등 **4** 다수결의 원칙
5 ① **6** (1) 직접 선거 (2) 비밀 선거

똑똑한 하루 퀴즈

7 ❶ 다수결 ❷ 존중

풀이

1 민주주의는 국가의 주권이 국민에게 있고 국민을 위하여 정치를 행하는 제도입니다.

2 민주주의 사회에서는 모든 사람이 신분이나 재산, 성별 등과 관계없이 사회 공동의 문제를 해결하는 과정에 참여할 수 있습니다.

3 평등은 신분, 재산, 성별, 인종 등에 따라 부당하게 차별받지 않는 것입니다.

【 왜 틀렸을까? 】
• 자유 : 국가나 다른 사람들에게 구속받지 않고 자신의 의사를 스스로 결정할 수 있는 것
• 인간의 존엄 : 모든 사람은 태어나는 순간부터 인간으로서 존엄과 가치를 존중받아야 한다는 것

4 많은 사람들의 의견에 따라 결정하는 것을 다수결의 원칙이라고 합니다.

5 보통 선거는 일정한 나이가 된 모든 국민에게 선거권이 있는 원칙입니다.

6 직접 선거는 다른 사람이 대신할 수 없고 선거권을 가진 사람이 직접 투표를 하는 원칙, 비밀 선거는 누구에게 투표했는지 다른 사람이 알지 못하게 비밀이 보장되는 원칙입니다.

7 다수결의 원칙은 다수의 의견이 소수의 의견보다 합리적일 것이라고 가정하고 다수의 의견을 채택하는 방법입니다.

36~39쪽 마무리하기 문제

1 현석	2 ⑤	3 ©	4 ⑤
5 ③	6 ⑤	7 ④	

8 ⑩ 대통령 직선제, 지방 자치제 시행, 언론의 자유 보장, 지역감정 없애기 등의 내용을 담고 있다.　　**9** ③

10 (1) 인간의 존엄 (2) 평등 (3) 자유　　**11** 사랑

똑똑한 하루 퀴즈

12

투	☆	보	간	☆
☆	유	통	☆	평
직	접	선	거	등
표	☆	거	☆	선
☆	비	밀	선	거

❶ 직접 선거　　❷ 평등 선거
❸ 비밀 선거　　❹ 보통 선거

풀이

1 3·15 부정 선거, 이승만 정부의 독재 정치로 4·19 혁명이 일어났습니다.

2 3·15 부정 선거를 비판하는 마산 시위에 참여했던 고등학생 김주열이 마산 앞바다에서 죽은 채 발견되자 시위가 전국으로 확산되었습니다.

3 4·19 혁명의 결과 이승만이 대통령에서 물러났고 재선거가 실시되었습니다.

4 박정희 정부는 유신 헌법을 선포한 후 독재 정치를 더 심하게 했습니다.

5 전두환은 5·18 민주화 운동을 폭력적으로 진압했습니다.

6 5·18 민주화 운동은 전라남도 광주에서 전두환이 중심이 된 신군부 세력의 퇴진 등을 요구하며 벌인 민주화 운동입니다.

7 6월 민주 항쟁은 1987년 6월, 대통령 직선제 등을 요구하며 일어난 민주화 운동입니다.

8 6·29 민주화 선언은 1987년 6월 29일에 당시 여당 대표였던 노태우가 국민들의 직선제 개헌 요구를 받아들여 발표한 특별 선언입니다.

> **「인정 답안」**
>
> 6·29 민주화 선언의 내용 중 한 가지 이상을 썼으면 정답으로 인정합니다.
>
> **인정 답안의 예**
> • 지방 자치제 시행의 내용을 담고 있다.
> • 대통령 직선제 시행의 내용을 담고 있다.
> • 지역감정 없애기에 대한 내용을 담고 있다.
> • 언론의 자유 보장에 대한 내용을 담고 있다.

9 1인 시위는 1인이 피켓이나 현수막, 어깨띠 등을 두르고 혼자 하는 시위를 말합니다.

10 민주주의는 자유를 존중하고 평등을 이루어 인간의 존엄성을 지켜 가는 기본 정신을 바탕으로 이루어집니다.

11 다수결의 원칙은 다수의 의견이 합리적일 것이라고 가정하고 다수의 의견을 채택하는 것입니다.

12 민주주의 사회에서는 공정한 선거를 위해 보통 선거, 평등 선거, 직접 선거, 비밀 선거의 원칙에 따라 투표가 이루어지고 있습니다.

1주 | TEST + 특강

40~41쪽 누구나 100점 TEST

1 ④	2 ②	3 ⑤	4 ①
5 ③	6 ②	7 (1) ⑦ (2) © (3) ©	
8 자유	9 ○	10 ②	

풀이

1 4·19 혁명은 3·15 부정 선거에 항의하여 일어났습니다.

2 4·19 혁명의 결과 이승만은 대통령 자리에서 물러났고, 3·15 부정 선거는 무효가 되었습니다.

3 5·18 민주화 운동은 전두환의 독재 정치에 맞서 전라남도 광주에서 일어난 민주화 운동입니다.

4 5·18 민주화 운동은 전두환의 민주주의 탄압에 대항에 일어난 민주화 운동입니다.

5 6월 민주 항쟁은 전두환의 독재에 맞서 대통령 직선제를 요구하며 일어난 민주화 운동입니다.

6 6·29 민주화 선언은 대통령 직선제, 지방 자치제 시행, 언론의 자유 보장, 지역감정 없애기 등의 내용을 담고 있습니다.

7 (1)은 투표, (2)는 1인 시위, (3)은 캠페인입니다.

8 국가에 구속받지 않고 자신의 의사를 결정할 수 있는 자유가 있습니다.

9 다수결의 원칙은 다수의 의견을 채택하는 민주적 의사 결정 원리입니다.

10 비밀 선거는 누구에게 투표했는지 다른 사람이 알 수 없는 선거의 원칙입니다.

43쪽 생활 속 사회 융합

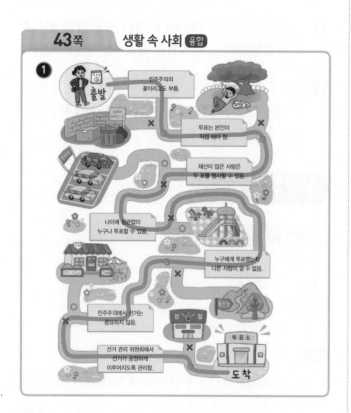

풀 이

❶ 국민이 자신들을 대표할 사람을 직접 뽑는 선거는 민주주의의 기본입니다. 민주주의 사회에서는 공정한 선거를 위해 보통 선거, 평등 선거, 직접 선거, 비밀 선거의 원칙에 따라 투표가 이루어지고 있습니다.

44~45쪽 사고 쑥쑥 창의

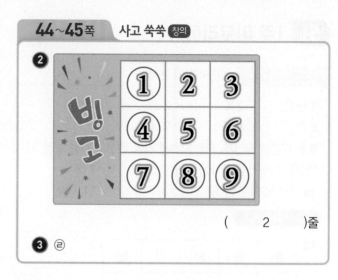

(2)줄

❸ ㉣

풀 이

❷ 5·18 민주화 운동은 전두환의 독재 정치에 맞서 전라남도 광주에서 일어난 민주화 운동입니다. 완성된 빙고는 가로, 세로 모두 합해 2줄입니다.

❸ 다수결의 원칙이란 다수의 의견이 소수의 의견보다 합리적일 것이라고 가정하고 다수의 의견을 채택하는 방법입니다. 사람들은 다수결의 원칙에 따라 쉽고 빠르게 문제를 해결하지만 소수의 의견도 존중해야 합니다.

46~47쪽 논리 탄탄 코딩

❹ 3·15 부정 선거
❺ 직선제

풀 이

❹ 이승만 정부의 독재 정치와 부정부패로 국민의 생활이 어려운 상황에서 3·15 부정 선거가 실행되면서 4·19 혁명이 일어났습니다.

❺ 6·29 민주화 선언은 대통령 직선제, 언론의 자유 보장, 지방 자치제 시행, 지역감정 없애기 등의 내용을 담고 있습니다. 6월 민주 항쟁 이후 헌법을 개정하거나 법을 새롭게 만들어 이러한 내용을 실천해 나갔습니다.

1일 국회

1 국민 2 4 3 국회

1 ① 2 형석 3 국회 의원 4 ①
5 ㉠ 정부 ㉡ 국정

똑똑한 하루 퀴즈

6
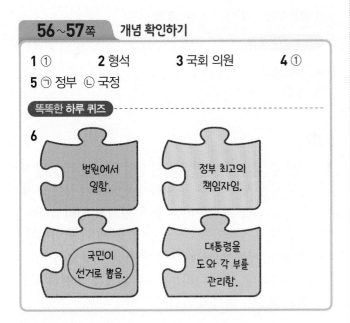

법원에서 일함.

정부 최고의 책임자임.

국민이 선거로 뽑음.

대통령을 도와 각 부를 관리함.

풀이

1 우리나라 헌법에는 주권이 국민에게 있음을 분명히 하고 있습니다.

2 국민 주권을 실현하려고 국민의 자유와 권리를 법으로 보장하고 있습니다.

3 국회 의원은 국민의 대표로, 국민의 선거로 4년마다 선출합니다.

4 국회에서는 법을 만드는 일을 하며, 법을 고치거나 없애기도 합니다.

5 국회는 국정 감사에서 국정 운영 실태를 정확히 파악하고 입법과 예산 심의를 하는 데 필요한 자료를 수집하며 국정의 잘못된 부분을 적발, 시정합니다.

6 정부 최고의 책임자는 대통령이고, 대통령을 도와 각 부를 관리하는 사람은 국무총리입니다.

2일 정부

1 정부 2 대통령 3 교육부

1 ③ 2 국무총리 3 ⑤ 4 ⑤
5 ⑤

집중 연습 문제

6 ⑤ ①
7 ③

풀이

1 정부는 법에 따라 나라의 살림을 맡아 하는 곳입니다. 정부 조직에는 대통령을 중심으로 국무총리와 여러 개의 부, 처, 청 그리고 위원회가 있습니다.

2 국무총리는 대통령을 도와 각 부를 관리하고 감독하며, 대통령이 없을 때에는 대통령을 대신하는 역할을 합니다.

3 식품의약품안전처는 식품과 의약품 등의 안전을 책임지는 기관입니다.

4 보건복지부는 국민의 건강과 보건, 복지, 사회보장 등을 책임지는 기관입니다.

5 외교부는 다른 나라와 협력할 수 있는 정책을 만들고 다른 나라에 있는 우리 국민을 보호하고 지원하는 일을 합니다.

6 정부 세종 청사는 수도권에 집중된 인구를 분산하고, 국토를 균형 있게 발전시키려고 만든 정부 종합 청사입니다.

7 대통령은 외국에 우리나라를 대표하며, 정부의 최고 책임자로 나라의 중요한 일을 결정합니다. 대통령은 5년마다 국민의 선거로 뽑으며 중임할 수 없는데 이는 독재를 막고 평화적인 정권 교체를 하기 위해서입니다.

3일 법원

67쪽 개념 체크

1 법원 　　**2** 헌법 　　**3** 세

68~69쪽 개념 확인하기

1 ③ 　　　　**2** ㉠ 　　　**3** 헌법 재판소
4 3심 제도 　　**5** ④

똑똑한 하루 퀴즈

6 5 　 1 　 9 　 6

풀이

1 법원은 법에 따라 재판을 하는 곳으로, 사람들은 다툼이 생기거나 억울한 일을 당했을 때 재판으로 문제를 해결합니다.

2 법원은 법을 지키지 않은 사람에게 벌을 줍니다.

> **《 왜 틀렸을까? 》**
> ㉡은 개인과 국가, 지방 자치 단체 사이에서 생긴 갈등을 해결하는 모습, ㉢은 사람들 사이의 다툼을 해결하는 모습입니다.

3 헌법 재판소는 헌법과 관련된 다툼을 해결하는 곳으로, 법률이 헌법에 어긋나지 않는지 판단합니다. 헌법 재판소는 대통령이나 국무총리와 같이 지위가 높은 공무원이 큰 잘못을 저질러 국회에서 파면을 요구하면 이를 심판하는 일도 합니다.

4 국민이 공정한 재판을 받을 수 있도록 한 사건에 원칙적으로 세 번까지 재판을 받을 수 있는 3심 제도를 두고 있습니다.

5 국무 회의는 정부의 주요 정책을 심의하는 최고의 기관으로 대통령과 국무총리, 국무 위원으로 구성됩니다.

6 헌법 재판소는 헌법과 관련된 다툼을 해결하는 곳입니다.

4일 삼권 분립

73쪽 개념 체크

1 정부 　　**2** 자유 　　**3** 국정

74~75쪽 개념 확인하기

1 삼권 분립 　**2** ① 　　　**3** ⑤

집중 연습 문제

4 국회 　ㄴ
5 ②, ⑤

풀이

1 권력 분립은 국가 권력을 나누어 각각 다른 기관에 분담시켜 서로 견제·균형하게 함으로써 국민의 자유와 권리를 보장하려는 민주 정치의 원리입니다. 삼권 분립은 국가를 다스리는 힘을 세 기관(입법부, 행정부, 사법부)에 나누어 균형을 이루도록 하는 제도입니다. 우리나라는 권력 분립을 실현하려고 삼권 분립을 하고 있습니다.

2 입법부는 법을 만드는 기관, 행정부는 법을 집행하고 나라 살림을 하는 기관, 사법부는 법에 따라 판결을 하는 기관을 뜻합니다.

3 법원은 위헌 법률 심사 제청권을 갖습니다.

> **《 왜 틀렸을까? 》**
> ① : 국회가 정부를 견제하는 모습
> ② : 정부가 법원을 견제하는 모습
> ③ : 국회가 법원을 견제하는 모습
> ④ : 정부가 국회를 견제하는 모습

4 ㉠은 정부가 국회에서 만든 법률안에 거부권 행사를 검토하는 모습입니다.

5 국가의 일을 나누어 맡는 까닭은 한 기관이 국가의 중요한 일을 마음대로 처리할 수 없도록 서로 견제하고 균형을 이루게 하여 국민의 자유와 권리를 지키려는 것입니다.

78~81쪽 마무리하기 문제

1 ④ **2** ④ **3** ㉡ **4** ㉢

5 ① **6** (1) ㉠ (2) ㉢ (3) ㉡ **7** ②, ③

8 예 공정한 재판을 하기 위해서이다. **9** ①

10 ㉢ **11** ①

똑똑한 하루 퀴즈

12 ❶ 국무총리 ❷ 권력 분립

풀이

1 우리나라 헌법에서는 주권이 국민에게 있음을 분명히 하고 있습니다.

2 국회 의원은 국민의 선거로 4년마다 선출합니다.

3 국회에서는 법을 만들고 정부가 법에 따라 일을 잘하고 있는지 확인하려고 국정 감사를 합니다.

4 대통령은 5년마다 국민의 선거로 뽑습니다.

5 국방부는 국토를 방위하는 일을 합니다.

6 행정 각 부는 국민의 안전과 행복을 위해 노력합니다.

7 법원은 우리나라의 사법부입니다.

8 공정한 재판으로 국민의 자유와 권리를 보장하고자 한 사건에 원칙적으로 세 번까지 재판을 받을 수 있도록 하고 있습니다.

> **인정 답안**
>
> '공정한 재판을 위해서'라는 내용을 썼으면 정답으로 인정합니다.
>
> **인정 답안의 예**
> • 국민이 억울한 일을 당하지 않고 공정하게 일을 해결할 수 있도록 하기 위해서이다.

9 법을 만드는 일은 국회에서 합니다.

10 우리나라는 국가 권력을 국회, 정부, 법원이 나누어 맡고 있습니다.

11 국회는 정부 각 부처를 대상으로 나라 살림을 제대로 하는지 국정 감사를 실시합니다.

12 국무총리는 대통령을 도와 각 부를 관리합니다.

82~83쪽 누구나 100점 TEST

1 ② **2** ⑤ **3** (3) ○ **4** ⑤

5 ④ **6** 대통령 **7** ④, ⑤ **8** (2) ○

9 ③ **10** ㉠ 국회 ㉡ 정부 ㉢ 법원

풀이

1 우리나라 헌법에는 주권이 국민에게 있음을 분명히 하고 있습니다.

2 국회 의원은 국회 의사당에서 일을 합니다.

3 국회 의원은 국민의 선거로 4년마다 뽑는 국민의 대표입니다.

4 정부가 법에 따라 일을 잘하고 있는지 확인하려고 국정 감사를 합니다.

5 식품의약품안전처는 식품과 의약품 등의 안전을 책임지는 일을 합니다.

6 대통령은 정부 최고의 책임자로 5년마다 국민이 직접 뽑습니다.

7 국무총리는 대통령을 도와 각 부를 관리합니다.

8 법원은 법에 따라 재판을 하는 곳입니다.

9 평등 선거는 민주 선거의 원칙 중 하나입니다.

10 우리나라는 국가 권력을 국회, 정부, 법원이 나누어 맡습니다.

84~85쪽 생활 속 사회 융합

❶ ㉠

❷ (1)

(2) ㉡

풀이

① 국회에서는 법을 만드는 일을 하며, 법은 우리 일상생활과 관련이 있습니다.

② 법원은 법에 따라 재판을 하는 곳입니다.

86~87쪽 사고 쑥쑥 창의

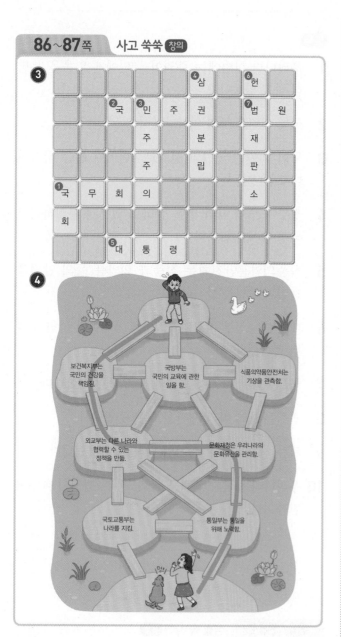

풀이

③ 우리나라는 국가 권력을 국회, 정부, 법원이 나누어 맡고 있습니다.

④ 국민의 교육에 관한 일은 교육부, 나라를 지키는 일은 국방부, 통일에 관한 일은 통일부에서 합니다.

88~89쪽 논리 탄탄 코딩

⑤ 1246

⑥

2	1	1	1	2	2	3	3	4	3	3	4
2	2	2	1	2	2	3	4	4	4	3	4
2	2	2	1	2	2	3	3	3	3	3	4
1	1	1	1	2	2	3	3	3	3	3	4
2	2	1	2	2	2	3	4	3	4	3	4
2	2	1	2	2	2	3	4	4	4	3	4
2	1	1	1	2	2	3	3	4	3	3	4
2	2	2	1	2	4	4	4	4	3	4	4
2	2	2	1	2	2	3	3	3	3	3	4

풀이

⑤ 국회에서는 공무원에게 나랏일 가운데 궁금한 점을 질문하고, 잘못한 일이 있으면 바로잡도록 요구합니다. 또한 정부에서 계획한 예산안을 살펴보고, 이미 사용한 예산이 잘 쓰였는지를 검토합니다. 예산의 대부분은 국민이 낸 세금으로 마련하기 때문에 국민의 대표인 국회 의원이 이를 확정하는 것입니다.

▲ 국회 의원이 일하는 국회 의사당

⑥ 정부는 법에 따라 나라의 살림을 맡아 하는 곳으로, 정부 조직에는 대통령을 중심으로 국무총리와 여러 개의 부, 처, 청 그리고 위원회가 있습니다. 법을 만들거나 고치는 일은 국회에서 하는 일입니다.

▲ 정부 세종 청사

97쪽 　개념 체크

| 1 가계 | 2 이윤 | 3 합리 |

98~99쪽 　개념 확인하기

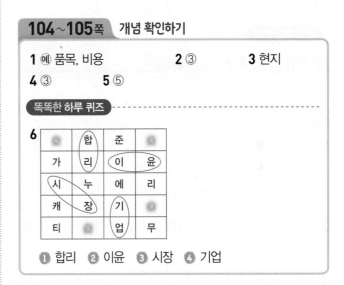

2 ③　　　3 소득　　　4 선재

집중 연습 문제

5 현준　　　6 ㉡　· ㉠ ➡ 기능
　　　　　　　　· ㉡ ➡ 가격

풀이

1 가계와 기업은 시장에서 물건과 서비스를 거래합니다.

2 가계는 소비의 주체이면서 기업에 노동력을 제공합니다.

3 가계 구성원은 소득을 얻으려는 생산 활동과 생활에서 소득을 사용하는 소비 활동을 합니다.

4 가계의 생산과 소비 활동은 기업의 생산 및 이윤 추구와 밀접한 관계가 있으며 가계와 기업이 하는 일은 서로에게 도움이 됩니다.

5 사람들은 상표, 품질, 디자인 등을 고려해 가격이 비싸더라도 우수한 물건을 선택하는 경우도 있습니다.

6 ㉡ 사람은 같은 조건이면 더 싼 텔레비전을 선택하고 있습니다.

(왜 틀렸을까?)
　㉠ 사람은 같은 가격이라면 다양한 기능이 있는 텔레비전을 선택하고 있습니다.

2일 기업의 합리적 선택과 시장

103쪽 　개념 체크

| 1 기업 | 2 이윤 | 3 시장 |

104~105쪽 　개념 확인하기

1 예 품목, 비용　　　　2 ③　　　3 현지
4 ③　　　5 ⑤

똑똑한 하루 퀴즈

6

☀	합	준	☀
가	리	이	윤
시	누	에	리
캐	장	기	☀
티	☀	업	무

① 합리　② 이윤　③ 시장　④ 기업

풀이

1 기업은 물건을 많이 팔기 위해 어떤 물건을 만들어야 할지, 어떻게 디자인을 해야 할지, 얼마만큼의 돈과 노력을 들어야 할지 등을 고민합니다.

2 필통을 생산하기 전에 어떤 종류의 필통이 많이 팔리는지 살펴보고 그 까닭은 무엇인지 살펴보아야 합니다.

3 물건을 생산할 때 생산 비용이 너무 커지면 이윤이 줄어듭니다.

4 시장은 물건을 사고파는 곳으로, 가계와 기업은 다양한 형태의 시장에서 만나고 있습니다.

5 만질 수 없는 물건을 사고파는 시장은 인력 시장, 주식 시장, 외환 시장, 부동산 시장 등이 있습니다.

(왜 틀렸을까?)
　⑤ 텔레비전 홈 쇼핑과 인터넷 쇼핑도 시장이라 볼 수 있는데, 이를 통해 사람들은 언제 어디서든지 물건을 구매할 수 있습니다.

3일 우리나라 경제의 특징

109쪽 개념 체크

1 자유   **2** 직업   **3** 경쟁

110~111쪽 개념 확인하기

1 ㉠, ㉡   **2** ⑤   **3** 정규   **4** ①

집중 연습 문제

5 경쟁   **6** ㉡   · ㉡ ➡ 직업

풀이

1 우리나라 헌법에는 '대한민국의 경제 질서는 개인과 기업의 경제상의 자유와 창의를 존중함을 기본으로 한다.'라고 쓰여 있습니다.

2 기업은 이윤을 얻기 위해 자유롭게 경제 활동을 할 수 있습니다.

3 개인은 더 좋은 일자리를 얻기 위한 경쟁에서 앞서고자 자신의 능력과 실력을 높이려고 노력합니다.

4 기업은 보다 더 많은 이윤을 얻으려고 다른 기업과 서로 경쟁합니다. 그림은 많은 식당이 손님을 끌어들이고자 경쟁하는 모습입니다.

5 기업이 자유롭게 경쟁하면 소비자는 품질이 좋은 다양한 상품을 살 수 있습니다.

6 경제 활동의 자유와 경쟁이 있어서 개인은 자신의 능력과 재능을 더 잘 발휘할 수 있습니다.

【 왜 틀렸을까? 】
> ㉢ 사람들은 경제 활동으로 얻은 소득을 자신의 결정에 따라 자유롭게 사용할 수 있는 자유가 있습니다.

4일 바람직한 경제 활동

115쪽 개념 체크

1 내려야   **2** 소비자   **3** 공정

116~117쪽 개념 확인하기

1 도하   **2** 선우   **3** ⑤   **4** 합리적인
5 ⑤

똑똑한 하루 퀴즈

6 공정 거래 위원회

풀이

1 음료수의 재료 가격이 내렸음에도 가격이 오르면 소비자는 비싼 가격에 음료수를 사 먹어야 하는 문제가 발생합니다.

2 음료수를 만드는 회사가 적으면 음료수 만드는 회사끼리 마음대로 가격을 정할 수 있습니다.

3 정부와 시민 단체는 기업 간의 불공정한 경제 활동으로 생기는 문제를 해결하고 경제 활동이 공정하게 이루어질 수 있도록 여러 가지 노력을 합니다.

4 좋아하는 음료수를 합리적인 가격에 사 먹으려면 정부에서 나서서 규제를 하거나 우리가 불매 운동을 할 수도 있습니다.

5 공정 거래 위원회는 경쟁 촉진, 소비자 주권 확립, 중소기업 경쟁 기반 확보 등의 일을 합니다.

5일 3주 마무리하기

120~123쪽 마무리하기 문제

1 가계   **2** 은수   **3** ①   **4** ①
5 ①   **6** 예 만질 수 없는 물건을 사고판다.
7 경쟁   **8** ②   **9** 지민   **10** 태영
11 ①

똑똑한 하루 퀴즈

12

1 가계는 기업의 생산 활동에 참여하고 생산 활동의 대가로 소득을 얻습니다.

2 경제 활동의 주요 주체는 가계와 기업으로, 가계 구성원의 생산과 소비 활동은 기업의 생산 및 이윤 추구와 밀접한 관계가 있습니다.

3 물건을 선택할 때에는 사람마다 기준이 다를 수 있는데, 제시된 경우는 같은 품질과 디자인이라면 가격이 저렴한 것을 고르는 모습입니다.

4 기업은 기업의 이윤을 극대화하기 위해서 합리적 선택이 필요하고, 합리적인 선택을 하지 않으면 다른 기업과의 경쟁에서 밀려 손해를 볼 수 있습니다.

5 가계와 기업이 만나는 시장에는 전통 시장, 대형 할인점, 텔레비전 홈 쇼핑, 인터넷 쇼핑 등이 있습니다.

6 시장에서 물건만 거래하는 것이 아니고, 사람의 노동력을 사고파는 인력 시장, 주식 거래가 이루어지는 주식 시장, 다른 나라의 돈을 사고파는 외환 시장, 집이나 땅을 사고파는 부동산 시장 등도 있습니다.

> 〔 **인정 답안** 〕
>
> 만질 수 없는 물건을 사고판다고 썼으면 정답으로 인정합니다.
>
> **인정 답안의 예**
>
> • 만질 수 없는 노동력, 땅, 주식, 외환 등을 사고판다.

7 제시된 그림은 많은 식당들이 손님을 끌어들이고자 경쟁하는 모습입니다.

8 우리나라 경제의 특징은 자유와 경쟁으로, 자유롭게 경쟁하는 경제 활동은 우리 생활에 도움이 됩니다.

9 경제 활동의 자유와 경쟁으로 자신의 재능과 능력을 더 잘 발휘할 수 있고, 원하는 조건의 물건을 사기 쉽습니다.

10 음료수 가격이 계속 오르게 둔다면 가격이 너무 비싸서 좋아하는 음료수를 사 먹지 못하므로 우리가 할 수 있는 일을 찾아보아야 합니다.

11 공정 거래 위원회는 독점 및 불공정 거래에 관한 사안을 심의·의결하려고 만들었습니다.

12 시장에서는 손으로 주고받을 수 있는 물건뿐 아니라 사람의 노동력, 땅, 주식 등 눈에 보이지 않는 것의 거래도 이루어집니다.

3주 | TEST+특강

124~125쪽 누구나 100점 TEST

1 (1) ㉡, ㉢ (2) ㉠, ㉣	**2** ②, ③	**3** ㉡
4 ②	**5** ①	**6** 자유	**7** ⑤
8 소비자	**9** ㉡	**10** ⑤	

1 기업은 물건을 만들어 판매하거나 서비스를 제공해 이윤을 얻고, 가계는 기업의 생산 활동에 참여하고 기업에서 만든 물건을 구입합니다.

2 기업은 시장에 물건을 공급하여 이윤을 얻고, 가계는 얻은 소득으로 시장에서 물건을 삽니다.

3 합리적 선택이란 품질, 디자인, 가격 등을 고려해 가장 적은 비용으로 큰 만족감을 얻을 수 있도록 선택하는 것입니다.

4 가계와 기업은 다양한 형태의 시장에서 만나고 있습니다.

5 부동산 시장에서는 집이나 땅을 사고팝니다.

> 〔 **왜 틀렸을까?** 〕
>
> ② 주식을 거래하는 곳은 주식 시장입니다.
> ④ 노동력을 거래하는 곳은 인력 시장입니다.
> ⑤ 다른 나라의 돈을 거래하는 곳은 외환 시장입니다.

6 우리나라에서는 자신의 능력과 적성에 따라 자유롭게 직업을 선택할 수 있고, 사람들은 경제 활동으로 얻은 소득을 자신의 결정에 따라 자유롭게 사용할 수 있습니다.

7 자유롭게 경쟁하는 경제 활동은 우리 생활에 도움이 됩니다.

8 음료수를 만드는 회사끼리 가격을 마음대로 정하면 재료 가격이 내려도 상품 가격이 오르게 됩니다.

9 과장 광고나 허위 광고를 하면 소비자가 피해를 입을 수 있습니다.

10 공정 거래 위원회는 독점 및 불공정 거래에 관한 사안을 심의·의결하려고 만든 기관입니다.

126~127쪽 생활 속 사회 융합

❶ (1) ⓒ
(2) 지언
❷ (1) 물건
(2) 예 인력 시장, 외환 시장

풀이

❶ (1) 공정 무역은 생산자의 노동에 정당한 대가를 지불하면서 소비자에게는 좀 더 좋은 물건을 공급하는 윤리적인 무역입니다.
(2) 가격이 더 비싸더라도 지구 환경이나 인권 보호에 도움을 주는 제품을 구매하는 경우와 같이 자신이 추구하는 삶의 가치를 지키며 소비 생활을 하는 사람들도 있습니다.

❷ (1) 시장은 물건을 사고파는 곳으로, 가계와 기업은 다양한 형태의 시장에서 만나고 있습니다.
(2) 만질 수 없는 물건을 사고파는 시장에는 인력 시장, 외환 시장, 부동산 시장, 주식 시장 등이 있습니다.

128~129쪽 사고 쑥쑥 창의

❸ (1) ㉠
(2) 정부
❹ ⓪ ④ ⑦

풀이

❸ (1) 경제 활동을 할 때 지나치게 경쟁하면서 다양한 문제가 발생하기도 합니다.
(2) 정부와 시민 단체는 기업 간의 불공정한 경제 활동으로 생기는 문제를 해결하고 경제 활동이 공정하게 이루어질 수 있도록 여러 가지 노력을 합니다.

❹ 합리적 선택은 여러 가지를 고려해 가장 적은 비용으로 큰 만족감을 얻을 수 있도록 선택하는 것이고, 아버지가 기업에서 일하는 것은 생산 활동입니다.

130~131쪽 논리 탄탄 코딩

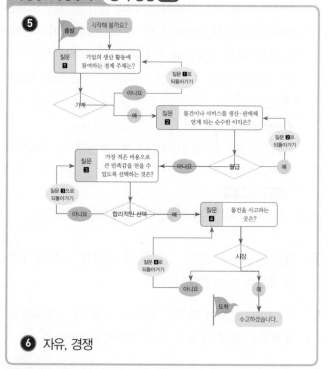

❻ 자유, 경쟁

풀이

❺ 물건이나 서비스를 생산·판매해 얻게 되는 순수한 이익은 이윤입니다.

❻ 우리나라 경제의 특징은 자유와 경쟁으로, 자유롭게 경쟁하는 경제 활동은 우리 생활에 도움이 됩니다.

1일 우리나라의 경제 성장 과정

139쪽 개념 체크

1 경제   2 중화학   3 첨단

140~141쪽 개념 확인하기

1 ①   2 도로   3 ㉢   4 ③
5 ④

집중 연습 문제

6 은우   7 (1) ㉠ (2) ㉡ (3) ㉡ (4) ㉠

· ㉠ ➡ 예 로봇
· ㉡ ➡ 예 의료

풀이

1 1962년에 정부는 경제 개발 5개년 계획을 세우고 국내에서 생산한 제품을 해외로 수출해 경제 성장을 이루고자 노력했습니다.

2 정부는 도로, 항만을 건설해 기업에서 생산된 상품이 쉽게 운반되고 수출될 수 있도록 했습니다.

3 경공업은 식료품, 섬유, 종이 등 비교적 가벼운 물건을 만드는 산업입니다.

왜 틀렸을까?
㉠ 농업, ㉡ 어업은 경공업 발전 이전에 발달한 산업입니다.

4 1973년에 정부는 국가 경제를 획기적으로 발전시키려고 중화학 공업 육성 계획을 발표했습니다.

5 1980년대에는 철강, 석유 화학 산업, 조선, 자동차, 전자 제품, 정밀 기계 산업 등이 발전했습니다.

6 1990년대에는 국내 기업들이 컴퓨터를 개발하고 생산하기 시작하면서 개인용 컴퓨터의 보급이 확대되었고 관련 산업들이 생겨나기 시작했습니다.

7 2000년대 이후부터는 고도의 기술이 필요한 첨단 산업과 사람들에게 즐거움을 주는 서비스 산업이 발달하고 있습니다.

2일 경제 성장에 따른 변화

145쪽 개념 체크

1 흑백   2 외환   3 정부

146~147쪽 개념 확인하기

1 정한   2 ㉢   3 ③   4 ③
5 ①, ⑤

똑똑한 하루 퀴즈

6 ㉠ 1960년대 ㉡ 2000년대

풀이

1 오늘날 휴대 전화 보급이 보편화되면서 많은 사람들이 휴대 전화를 사용하고 있습니다.

왜 틀렸을까?
· 아영 : 오늘날 많은 사람들이 휴대 전화를 가지고 있습니다.
· 나윤 : 공중전화 앞에 줄을 서는 모습은 1990년대에 볼 수 있었습니다.

2 컴퓨터 보급은 1980년대, 고속 철도 개통은 2000년대, 흑백텔레비전 보급은 1960년대에 일어난 일입니다.

3 오늘날 인터넷을 통해서 물건을 사는 사람들이 늘어나고 있습니다.

4 우리나라의 급격한 경제 성장은 여러 가지 사회 문제를 가져오기도 했습니다.

5 오늘날 잘사는 사람과 그렇지 못한 사람의 소득 격차가 더욱 커졌기 때문에 사회적 약자를 위한 제도와 정책이 더욱 필요해졌습니다.

6 경제 성장으로 변화한 우리 생활의 다양한 모습은 흑백텔레비전 보급, 고속 국도 개통, 컴퓨터 보급, 고속 철도 개통 등의 순서로 나타났습니다.

3일 무역

151쪽 개념 체크

1 무역   2 중국   3 자유

152~153쪽 개념 확인하기

1 ②　　　　**2** 채원　　　**3** ①
4 (1) ㉠ (2) ㉡　　　**5** ㉠

집중 연습 문제

6 중국 · 미국　　　**7** 주미

풀이

1 무역은 나라 사이에 필요한 물건이나 서비스를 사고파는 일을 말합니다.

2 각 나라는 더 잘 만들 수 있는 물건을 생산하고, 이를 상호 교류하면서 서로 경제적 이익을 얻습니다.

3 우리나라는 나라에서 필요한 원유를 전부 수입해야 하지만 원유를 가공·처리하는 기술이 뛰어나 다양한 석유 제품을 수출합니다.

4 우리 주변의 물건 중에는 다른 나라에서 만든 것, 다른 나라에서 들여온 원료를 이용해 우리나라에서 만든 것, 우리나라의 원료로 우리나라에서 만든 것 등이 있습니다.

5 우리나라는 다른 나라와 서로 의존하며 경제적으로 교류합니다.

> **｛ 왜 틀렸을까? ｝**
> ㉠ 우리나라는 물건뿐만 아니라 의료, 게임 등 서비스 분야에서도 교류하고 있습니다.

6 우리나라와 수출액 비율이 높은 나라는 중국, 미국, 베트남 등이고, 수입액 비율이 높은 나라는 중국, 미국, 일본 등입니다.

7 우리나라와 수입액, 수출액 비율이 가장 높은 나라는 중국입니다.

4일 무역 문제

157쪽 개념 체크

1 경제　　　**2** 넓어　　　**3** 관세

158~159쪽 개념 확인하기

1 ①　　　　**2** ⑤　　　**3** ㉡, ㉢　　　**4** 지우
5 ⑤

똑똑한 하루 퀴즈

6 세계 무역 기구

풀이

1 우리가 입고 있는 옷은 비슷해 보이지만 확인해 보면 다양한 국가에서 만들었다는 것을 알 수 있습니다.

2 주생활 분야에서 다른 나라에서 수입한 가구나 조명 기구를 사용하는 가정이 많아졌고, 외국의 주택 구조와 점점 비슷해지고 있습니다.

3 기업은 다른 나라에 공장을 세워 그 나라의 값싼 노동력을 활용해 물건을 생산하고 제조 비용과 운반 비용을 줄일 수 있게 되었습니다.

4 자기 나라 경제를 보호하는 까닭으로는 국민의 실업 방지, 경쟁력이 낮은 산업 보호 등이 있습니다.

5 무역 문제를 해결하기 위해 세계 여러 나라가 무역 문제를 함께 협상하고 합의하려는 노력이 필요합니다.

5일 4주 마무리하기

162~165쪽 마무리하기 문제

1 ①, ②　　**2** ㉡　　**3** ⑤　　**4** 2000년대
5 ①　　**6** 지우　　**7** ⑤　　**8** (1) ㉡ (2) ㉠
9 예 두 나라의 자연환경과 자원, 기술 등에 차이가 있어 더 잘 생산할 수 있는 물건이나 서비스가 다르기 때문이다.
10 자유 무역 협정　　**11** ①　　**12** ㉠

똑똑한 하루 퀴즈

13 1960년대, 2000년대

풀이

1 1960년대 정유 시설과 발전소를 건설한 것은 기업에 에너지를 공급하기 위함이었습니다.

2 1970년대에 기업들은 현대화된 대형 조선소를 건설하면서 세계 시장에 진출했습니다.

3 1970년대에 철, 배, 자동차 등 무거운 제품이나 플라스틱, 고무 제품, 화학 섬유 제품을 생산하는 중화학 공업을 성장시키려고 노력했습니다.

4 2000년대 이후부터는 생명 공학, 우주 항공, 신소재 산업, 로봇 산업과 같이 고도의 기술이 필요한 첨단 산업이 발달하고 있습니다.

5 1990년대에는 휴대 전화가 보급되지 않아서 사람들이 공중전화 앞에 줄을 서서 기다리는 모습을 많이 볼 수 있었습니다.

6 우리나라의 해외여행객이 점차 증가할 수 있었던 까닭은 가계의 소득이 증가해 여가를 즐기려는 사람들이 늘어났기 때문입니다.

7 정부는 환경 오염 문제를 해결하려고 기업들이 친환경 제품을 생산하도록 지원하고 사람들이 친환경 제품을 사용하도록 알리기도 합니다.

8 무역을 할 때 수출과 수입이 발생합니다.

9 ○○ 나라는 자원과 노동력이 풍부한 나라이고, △△ 나라는 배, 자동차, 반도체 등을 만드는 기술이 뛰어난 나라입니다.

> **〔 인정 답안 〕**
> 두 나라가 어떤 점이 달라서 무역을 하는지 알맞게 썼으면 정답으로 인정합니다.
> **인정 답안의 예**
> • 두 나라의 자연환경과 자원, 기술 등이 다르기 때문이다.

10 자유 무역 협정은 나라 간 경제 교류를 자유롭고 편리하게 하기 위한 방법입니다.

12 세계 여러 나라와 무역을 하면서 한국산 물건에 높은 관세를 부과하는 문제, 외국산에 의존해야 하는 물건의 수입 문제 등이 발생합니다.

13 1960년대에는 흑백텔레비전이 보급되었고, 2000년대에는 고속 철도를 이용하기 시작했습니다.

4주 | TEST + 특강

166~167쪽 누구나 100점 TEST

1 ①	**2** ②	**3** ④	**4** ③
5 ④	**6** ③	**7** ②	**8** 나연
9 관세	**10** ④		

풀이

1 1960년대 우리나라의 경제가 성장할 수 있게 된 까닭은 경공업 제품을 생산해 해외로 많이 수출했기 때문입니다.

2 중화학 공업은 철, 배, 자동차 등 무거운 제품이나 플라스틱, 고무 제품, 화학 섬유 제품을 생산하는 산업입니다.

> **〔 왜 틀렸을까? 〕**
> ③ 의류 생산, ④ 가발 생산, ⑤ 신발 생산 등은 경공업에 해당합니다.

3 1970년대에 기업들은 현대화된 대형 조선소를 건설하면서 세계 시장에 진출했습니다.

4 흑백텔레비전은 1960년대에 보급되었고, 1980년대에 컴퓨터 보급, 1990년대에 승용차 증가, 2000년대에 고속 철도 개통이 이루어졌습니다.

5 경제적 양극화 문제를 해결하기 위해 정부, 시민 단체 등이 많은 노력을 하고 있습니다.

6 무역은 나라 사이에 필요한 물건이나 서비스를 사고파는 일입니다.

7 우리나라와 수출액 비율이 높은 나라는 중국, 미국, 베트남, 홍콩 등입니다.

8 우리나라는 물건뿐만 아니라 의료, 게임 등 서비스 분야에서도 세계 여러 나라와 교류하고 있습니다.

9 다른 나라가 우리나라 물건에 높은 관세를 부과하면 가격이 올라 경쟁에서 불리해집니다.

10 세계 무역 기구는 자기 나라의 산업을 보호하려는 각 나라의 정책을 인정하면서도 무역 장벽을 낮추기 위해 노력하고 있습니다.

168~169쪽 생활 속 사회 융합

❶ (1) ㉠ (2) ㉡
❷ (1) 상현 (2) 자유 무역

풀이

❶ (1) 우리나라는 1973년에 최초로 해외에서 주문을 받아 대형 선박을 만들기 시작했고, 1980년대에 자동차 산업이 본격적으로 크게 성장했습니다.
(2) 1980년대에는 철강, 석유 화학 산업과 함께 조선, 자동차, 전자 제품, 정밀 기계 산업 등이 발전했습니다.

❷ (1) 우리나라는 콜롬비아의 품질 좋은 커피와 카카오를 수입해 커피 산업에서 이익을 얻을 수 있고, 콜롬비아는 우리나라에 커피와 카카오를 수출해 경제적 이익을 얻을 수 있습니다.
(2) 자유 무역 협정(FTA)은 나라 간 경제 교류를 자유롭고 편리하게 하기 위한 방법입니다.

170~171쪽 사고 쑥쑥 창의

❸ (1) 4 (2)

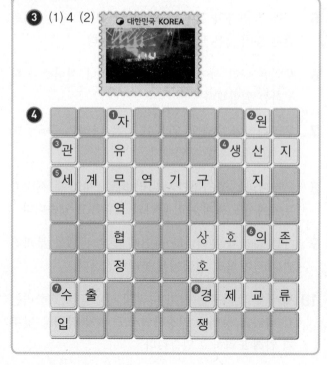

❹

		❶자				❷원	
❸관		유			❹생	산	지
❺세	계	무	역	기	구	지	
		역					
		협		상	호	❻의	존
		정		호			
❼수	출			❽경	제	교	류
입				쟁			

풀이

❸ (1) 우표를 만들 당시 우리나라는 정부와 국민들이 모두 경제 발전을 하려고 많이 노력했습니다.
(2) 경공업은 1960년대에 발달하기 시작했고, 철은 1970년대에 생산하며 산업이 성장했습니다.

❹ 우리나라에 풍부한 것은 수출하고, 부족하거나 없는 것을 수입하는 것이 무역입니다.

172~173쪽 논리 탄탄 코딩

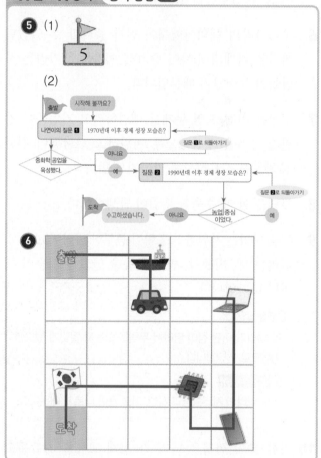

풀이

❺ 1990년대에는 국내 기업들이 컴퓨터를 개발하고 생산하기 시작하면서 개인용 컴퓨터의 보급이 확대되었고 관련 산업들이 생겨나기 시작했습니다.

❻ 배에 쌓여 있는 수출품의 순서를 잘 보고, 경로를 직접 표시해 볼 수 있습니다.

水 漁 之 交

물 물고기 갈 사귈
⋯⋯⋯ ⋯⋯⋯ ⋯⋯⋯ ⋯⋯⋯
수 어 지 교

물고기에게 물은 정말 소중한 존재이지요.
수어지교란 물고기와 물의 관계처럼,
아주 친밀하여 떨어질 수 없는 사이
또는 깊은 우정을 일컫는 말이랍니다.

정답은
이안에
있어!

기초 학습능력 강화 프로그램
매일 조금씩 공부력 UP!

국어
예비초~초6

수학
예비초~초6

영어
예비초~초6

**봄·여름
가을·겨울**

(바·슬·즐)
초1~초2

안전

초1~초2

사회·과학
초3~초6

배움으로 행복한 내일을 꿈꾸는
천재교육 커뮤니티 안내 . . .

교재 안내부터 구매까지 한 번에!
천재교육 홈페이지

자사가 발행하는 참고서, 교과서에 대한 소개는 물론
도서 구매도 할 수 있습니다. 회원에게 지급되는 별을 모아
다양한 상품 응모에도 도전해 보세요!

다양한 교육 꿀팁에 깜짝 이벤트는 덤!
천재교육 인스타그램

천재교육의 새롭고 중요한 소식을 가장 먼저 접하고 싶다면?
천재교육 인스타그램 팔로우가 필수!
깜짝 이벤트도 수시로 진행되니 놓치지 마세요!

수업이 편리해지는
천재교육 ACA 사이트

오직 선생님만을 위한, 천재교육 모든 교재에 대한 정보가 담긴
아카 사이트에서는 다양한 수업자료 및 부가 자료는 물론
시험 출제에 필요한 문제도 다운로드하실 수 있습니다.

https://aca.chunjae.co.kr

천재교육을 사랑하는 샘들의 모임
천사샘

학원 강사, 공부방 선생님이시라면 누구나 가입할 수 있는 천사샘!
교재 개발 및 평가를 통해 교재 검토진으로 참여할 수 있는 기회는 물론
다양한 교사용 교재 증정 이벤트가 선생님을 기다립니다.

아이와 함께 성장하는 학부모들의 모임공간
튠맘 학습연구소

튠맘 학습연구소는 초·중등 학부모를 대상으로 다양한 이벤트와 함께
교재 리뷰 및 학습 정보를 제공하는 네이버 카페입니다.
초등학생, 중학생 자녀를 둔 학부모님이라면 튠맘 학습연구소로 오세요!